中華書局

大故宮

有鳳來儀

閻崇年 著

目錄

慈寧宮（林京　攝）

寧壽門（林京　攝）

養心殿東暖閣（林京　攝）

養心殿（林京　攝）

《雍正讀書像》軸

雍正帝生母《孝恭仁皇后朝服像》軸

上 三希堂（林京　攝）　　下 軍機處內景（林京　攝）

上 | 永壽宮內景（林京　攝）　　下 | 太極殿（原啟祥宮）內景（林京　攝）

《光緒帝大婚圖》中的交泰殿與坤寧宮

第二十三講　坤寧大婚

現代許多青年結婚叫「大婚」，結婚典禮時，主持人常說：「今天某某先生與某某小姐舉行大婚！」在古代，「大婚」一詞，不能隨便使用。《中文大辭典》解釋：「天子、諸侯之婚禮，謂之大婚。」明清只有天子結婚才可以稱「大婚」，親王、郡王結婚都不可以稱「大婚」。按照這個標準來看，在坤寧宮舉行大婚的天子，簡直沒有幾位。

⌂ 坤寧宮是明清皇后的正宮，是皇帝和皇后大婚的喜房，也就是民間所說的新婚洞房。

一 大婚皇帝

坤寧宮是皇后的正宮，坐北面南，正面九個開間，算上兩側的小間，現在看到的是十一個開間。坤寧宮與交泰殿、乾清宮坐落在同一高台上，平面呈長方形，為重簷，廡殿頂，上覆黃色琉璃瓦。在建築結構上，後庭大院的門比較多：東西廡牆各有五座門，其中乾清宮各兩座門，交泰殿各一座門，坤寧宮各兩座門，主要是為帝后、妃嬪、宮女、太監等出入內廷方便。

實際上，皇后並不都住坤寧宮。明代皇后住在坤寧宮，清代皇后大多住在東西六宮，但坤寧宮作為皇后正宮的地位始終沒變，所以清代皇帝大婚的洞房，也還是在坤寧宮。正如東西六宮雖為妃嬪所

坤寧宮東暖閣內景（林京　攝）

居，但皇太后、皇帝、皇后也有居住；同樣，坤寧宮為皇后寢興之所，但妃嬪也有在此居住的。黃宗羲《棗林雜俎》記載：湯溪（今浙江省金華市金東區）戴氏選侍，曾住坤寧宮，三次被御幸。弘治十年（一四九七年），太監寧某來縣，宮人手書寄問母、弟安否，離別思憶之情淒然滿紙。

遊客到故宮坤寧宮參觀，導遊會指給大家看：這裏是坤寧宮東暖閣，就是皇帝皇后大婚的喜房。於是，一般遊客都認為，明清北京皇宮二十四位皇帝結婚的洞房都是在這裏，其實不然，為甚麼呢？

先說「大婚」。現代許多青年結婚叫「大婚」，結婚典禮時，主持人常說：「今天某某先生與某某小姐舉行大婚！」在古代，「大婚」一詞不能隨便使用。《中文大辭典》解釋：「天子、諸侯之婚禮，謂之大婚。」明清只有天子結婚才可以稱「大婚」，親王、郡王結婚都不可以稱「大婚」。按照這個標準來看，在坤寧宮舉行大婚的天子，簡直沒有幾位。明朝十六位皇帝，在南京登基的洪武帝和建文帝，他們登極之前已經結婚，沒有舉行「大婚」之典。明朝在北京的十四位皇帝，算來算去，只有兩位皇帝在紫禁城舉行大婚典禮：一位是明英宗正統皇帝，九歲繼承皇位，他結婚時已經是「天子」，可以稱作「大婚」；另一位是明神宗萬曆皇帝，十歲繼承皇位，他結婚時也已經是「天子」，也可以稱作「大婚」。

清朝呢？清朝十二位皇帝，只有順治、康熙、同治和光緒四位君主，是當皇帝後才結婚的，他們結婚可以稱作「大婚」。至於溥儀，結婚時已經退位，所以他和婉容的婚禮，只能算平民的婚禮，從禮制上說，不能稱作「大婚」。然而，清朝四位「大婚」皇帝，順治帝大婚在位育宮（保和殿），不在坤寧宮。因此，在坤寧宮舉行「大婚」的皇帝，明朝兩位、清朝三位，共有五位，約佔明清二十八位皇帝的百分之十八。

皇帝大婚同民間結婚有相似之處，沿襲《儀禮．士昏禮》中的「六禮」，就是成婚的六道程式，或六個步驟：納采、問名、納吉、納徵、告期、迎娶。但沒有親迎禮。「六禮」的主要內容是甚麼呢？

（一）納采，男家請媒人到女家提親。

（二）問名，男家請媒人到女家，問女子的姓名和出生年月日時（生辰八字）。

（三）納吉，男家將女方情況進行占卜：得吉兆後，備禮通知女方家，同意締結婚姻。後來民間請人看皇曆、算八字。現代已經不怎麼用這一套了，但年齡、生日還是要看的，好比現在有些人看「星座」。

（四）納徵，也稱「納幣」，就是男家以聘禮（彩禮）送給女家。女家接受聘禮，就是訂婚。

（五）告期，男家擇定婚期，備禮告知女家，求其同意，定下婚期。

（六）迎娶，新郎到女家迎娶新娘，也就是結婚。

皇帝大婚同民間雖有相似之處，同樣要經過六個步驟：納采、問名、納吉、納徵、告期、迎娶。但有不同之處，如皇帝不親自到皇后家迎娶新娘，而是派正使、副使，代表皇帝前去迎娶。

明清時期在北京坤寧宮舉行「大婚」典禮的五位皇帝中，以同治帝和光緒帝大婚的文獻和檔案記載比較詳細，特別是光緒皇帝，《大婚典禮紅檔》有完整系統記載，《光緒帝大婚圖》有細膩精彩描繪，還有德國皇帝恭賀大婚典禮國書；所以我講坤寧大婚，以光緒帝大婚為例。

光緒帝（一八七一～一九〇八年），名載湉，四歲進宮，做了皇帝。光緒帝結婚的年齡，按照清廷的家法和慣例，應當在虛歲十四歲，因為順治帝是十四歲大婚的，康熙帝也是十四歲大婚的，所以光緒帝理應是十四歲大婚。但慈禧太后不同意，一年一年地拖，一直拖到不能再拖，才懿旨准許載湉在光緒十五年正月二十七日（一八八九年）二月二十六日大婚。這一年，光緒帝十九歲，皇后二十二歲。先看光緒帝大婚是如何準備的。

二 大婚準備

光緒皇帝大婚，着手進行準備，實際過程，分為三步：

第一，納采、問名。上年（光緒十四年）十一月初二日，納采，皇家不是派媒人，而是派正使、副使到未來皇后家提親、問名。光緒帝未來皇后是慈禧太后胞弟副都統、護軍統領桂祥的女兒葉赫那拉·靜芬。桂祥府邸位置在朝陽門內南小街今芳嘉園胡同。使臣宣詔：「茲選某官某女為皇后，命卿等持節行納采、問名禮。」女方家接旨後說：「臣女今年若干（歲），謹具奏聞。」納采禮物：馬四匹（帶鞍轡）、甲冑十副、緞一百匹、布二百匹、餑餑一百桌、酒宴一百席、酒一百瓶等。

第二，納吉、納徵。上年（光緒十四年）十二月初四日，大徵，就是派正、副使前去訂婚事、送彩禮並告知迎娶日期。其中大徵禮物如黃金二百兩、白銀一萬兩、金茶筒一具、緞一千匹、馬六十匹等。

但是，光緒這個皇帝，命運太不好了！本來，大婚的納采、問名、納吉、納徵都做了，婚期也定了，就等舉行大婚典禮，迎娶新娘皇后了。天有不測風雲，偏偏在十二月十五日夜，太和門大火，門全被燒毀。清代規定：皇帝大婚，皇后必須經由五門——大清門、天安門、端門、午門、太和門的中門進宮。沒有太和門怎麼行呢？皇帝的大婚，已詔告天下，怎能改期呢？火災離大婚吉日，只有四十二天，光是清理現場，也要十天半月，重建太和門，根本來不及，這如何是好？急中生智，清廷下令由北京棚匠紮彩工，夜以繼日，加緊搭建，竟然搭建成一座逼真的彩棚太和門，供大婚時使用。

工匠技藝，巧奪天工！我們看到的《光緒皇帝大婚圖》上的太和門，原來是臨時紮建的一座彩門。這座臨時搭建的太和門，完全可以亂真，就是內廷宦官，也不能辨其真偽，原來光緒帝大婚時喜轎（內金水橋）穿過的太和門竟然是紙紮的！

第三，告期、奉迎。確定大婚日期後，到吉日良辰，將皇后迎接到皇

《光緒帝大婚圖》中的交泰殿與坤寧宮

帝家。但皇帝不親自到未來皇后家迎娶，而是在午門迎接新娘皇后。

皇帝大婚的喜房，也就是大婚的洞房，在坤寧宮。

前一天，正月二十六日，主要做三件事：

第一，準備轎亭。一早，鑾儀衛首領帶人，恭請皇后鳳輿，放在太和門石階下面。屆時，總管內務府大臣從乾清門接捧龍字金如意，請到鳳輿裏安放。同時，兩座龍亭一座抬金冊，一座抬寶璽，已在太和殿階下陳設。

第二，授受冊寶。冊，是金冊，就是冊封皇后的正式文書，用黃金五百二十九兩製成；寶，是寶璽，就是印章，用黃金五百五十兩製成。當日，未時（未正十四時），光緒帝到慈寧宮向慈禧皇太后前行禮，再到太和殿，閱視冊、寶。

第三，進行告祭。派遣官員報告，祭祀天地、太廟、奉先殿。

裏外準備，已經就緒。吉日良辰一到，舉行大婚典禮。

三　大婚典禮

光緒帝大婚典禮的大婚日，是在光緒十五年正月二十七日（一八八九年）二月二十六日。主要做八件事：

第一，穿戴梳妝。子時（子正〇時），新娘（皇后）穿戴化妝。皇宮派去福晉四人，身着大紅錋罩衣、大紅褂罩，陪侍皇后戴東珠朝冠，御珠寶朝服，佩珊瑚朝珠、東珠朝珠，掛金鑲珊瑚項圈，以及其他。穿戴整齊後，在內堂稍坐，等待接受金冊和金寶。大婚的朝袍、朝褂、朝裙等有五十一件。其中皇后朝袍上綴正珠二萬一千〇一十三顆，珊瑚豆三千三百五十四件，米珠二百〇八顆，金結一百二十五件，各色真石四百一十件；朝褂上綴正珠二萬三千〇三十三顆，珊瑚豆四千一百八十二件，金結一百五十件，各色真石四百七十八件；朝裙上綴正珠一千五百四十六顆，珊瑚豆三百五十四件，金結二十九件，各色真石八十九件等。（《大婚典禮紅檔》）僅這朝袍、朝褂、朝裙三件，就用正珠四萬五千五百九十二顆、珊瑚豆七千八百九十顆、米珠二百〇八顆、金結三百〇四件、各色真石九百七十七件，總計為五萬四千九百七十一顆件。

第二，授受冊寶。奉迎皇后禮正使大學士額勒和布，在前堂請節，授於總管太監；副使禮部尚書奎潤，在前堂請出冊、寶，授於總管太監。派遣使臣前往皇后家，授受冊寶，冊立和奉迎皇后。正使禮部尚書李鴻藻持節前行，副使總管內務府大臣續昌持冊、寶，分別放置在龍亭內。校尉抬亭，儀駕前導，鳳輿隨行，由太和門、午門、端門、天安門各中門出大清門，到皇后府邸。工部預先設節案於前堂階下正中，設冊、寶案各一於前堂左右。正使持節陳於正中案上，副使捧冊、寶陳於左右案上。皇后出迎於內堂階下道右，跪着迎候。總管太監陳冊、寶於案上。女官恭請皇后受冊、受寶，太監宣讀冊文、寶文。禮成後，皇后在內堂稍作休息。

第三，新娘起轎。皇后由娘家府邸，乘坐鳳輿，前往皇宮。總管敬報：吉時已到，內掌儀司首領太監恭請鳳輿抬到內堂正中，向東南喜神方位安設，敬請鳳輿內如意安置於旁，總管太監恭捧冊、寶敬謹安設在龍亭內。福晉等四人恭請皇后升鳳輿，由本宮首領太監左右扶鳳輿到大門外，儀駕前導，喜樂吹奏，起行前往皇宮。

第四，皇帝禮迎。皇后的儀駕、龍亭、鳳輿進大清門，歷經天安門、端門、午門各中門，這時新郎（皇帝）在午門迎接。鳳輿進午門後，由中左門、後左門，到乾清門前，諸色人等，不能入宮，到此止步，各自退下。冊、寶龍亭陳於乾清門階下，禮部官員由龍亭內恭捧冊、寶，總管內務府大臣前引，安設在交泰殿左右案上。派出接捧冊寶的首領太監在殿內接守，奏乾坤泰和樂。

第五，進入內廷。皇后乘鳳輿進乾清門，到乾清宮簷下降鳳輿。皇后步行，經宮後槅扇，再乘八人孔雀頂的小轎，伴隨喜樂，到東六宮的鍾粹宮。這時，接捧冊、寶的首領太監，由交泰殿恭捧冊、寶在轎前導引，到鍾粹宮，交本宮守寶太監敬陳於案。鳳輿內龍字金如意，由派出的總管太監敬請陳於鍾粹宮殿內。恭侍福晉等請皇后降孔雀頂轎，稍坐。

第六，淨面化妝。午時（午正十二時），由福晉率內務府女官恭侍皇后淨面、梳妝上頭。皇后梳雙鳳髻，戴雙喜如意，御雙鳳同和袍。戴鳳鈿、項圈，帶拴辮手巾，正珠朝珠，仍戴雙喜如意，加添扁簪、富貴絨花，準備到坤寧宮，完成合巹禮。巹，古代結婚時用的酒器；合巹，原意是婚禮時飲交杯酒。

1 正月二十七日酉時，坤寧宮合巹宴一桌，用黃地龍鳳雙喜字紅裏膳桌（高一尺，長三尺五寸，寬二尺五寸，隨紅地金雙喜子禿思根一張），赤金盤二品（豬烏叉，羊烏叉），赤金碗四品（燕窩雙喜字八仙鴨，燕窩雙喜字金銀鴨絲，細豬肉絲湯二品），赤金盤四品（燕窩龍字拌熏雞絲，燕窩鳳字金銀肘花，燕窩呈字五香雞，燕窩祥字金銀鴨絲），赤金螺絲碟小菜二品，赤金碟醬油二品，紅地金喜字瓷碗二品（燕窩八仙湯二品），五彩百子瓷碗二品（老米膳二品，隨金碗蓋二件，鑲寶石十五塊），五彩百子瓷碗二品（子孫餑餑二品二十七個，隨金碗蓋二件，鑲寶石十五塊，以上俱安喜字花頭），赤金三鑲玉筷子二雙，赤金鑲玉把匙子二，赤金板匙二，紅地金喜字三寸瓷接碟二，赤金鍋二（赤金鍋蓋二個，赤金鍋墊二個，赤金執鍋瓦二個），赤金勺子二，赤金第七，正宮合巹。酉時（酉正十八時），皇后從鍾粹宮，乘八人孔雀頂轎，前往坤寧宮。皇后到坤寧宮降輿，進入坤寧宮東暖閣，恭候新郎（皇帝）。皇帝身穿吉服，到坤寧宮，升寶座床居左，皇后升寶座床居右，相向而坐。點合巹長壽燈。內務府女官等恭進合巹宴。合巹宴席上，擺着豬肉、羊肉、金銀酒、金銀膳、肉絲等項，喝交杯酒，吃子孫餑餑（餃子）、長壽麵。宴畢，撤宴桌，合巹宴禮成。（《光緒大婚典禮紅檔》）

第八，洞房成婚[1]。坤寧宮的東暖閣，鋪設龍鳳喜床，床中設置寶瓶，裏面裝珠寶、金銀、米穀等物，象徵富貴滿堂、糧食滿倉。喜床上掛百子幔，幔上繡一百個形態各異、活潑可愛的小男孩，象徵帝后多子多福。合巹宴後，坤寧宮管關門的女官，關合宮門。是夜，有結髮侍衛夫婦在坤寧宮殿外，念交祝歌，候帝后坐龍鳳喜床。劉姓老宮女回憶説：光緒帝舉行大婚禮時，慈禧太后派她做喜婆在坤寧宮守喜（《翁文恭公日記》）。拂曉，皇帝、皇后吃長壽麵。

次日，二十八日，寅時（寅正四時），福晉等恭侍皇后冠服，戴鳳鈿，穿明黃五彩鳳袍，八團五彩有水龍

赤金笊籬二。

正月二十八日寅時，坤寧宮團圓膳一桌，用黃地龍鳳雙喜字紅裏膳桌（高一尺，長三尺五寸，寬二尺五寸，隨紅地金雙喜字禿思根一張），赤金盤二品（燕窩座龍什錦鴨塊，燕窩喜鳳，金銀喜字奶豬），赤金碗四品（燕窩乾字三鮮鴨子，燕窩坤字什錦鴨絲，燕窩泰字金銀鴨子，燕窩和字紅白鴨絲），赤金盤四品（燕窩龍字炒金銀鴨絲，燕窩鳳字黃燜魚翅，燕窩雙字清蒸醬肉，燕窩喜字烹蝦米），赤金盤四品（喜字龍鳳餅二品，喜字花糕二品），紅地金喜字碗四品（燕窩八仙湯二品，燕窩喜字雞絲掛麵湯二品），赤金碟小菜二品，赤金碟醬油二品，五彩百子瓷碗二品（老米膳二品，隨金碗蓋二件，鑲寶石十五塊，以上俱安喜字花頭），赤金三鑲玉筷子二雙，赤金鑲玉靶匙子二把，赤金板匙二把（嵌松石豆匙靶頂），紅字金喜字三寸瓷碟二件，紅綢金雙喜字懷擋二塊。

褂，戴項圈，拴辮手巾，佩正珠朝珠，畢。然後，進行「八祭一拜」的祭拜活動：

一祭神板。皇帝率皇后在坤寧宮西案前，向祖宗板子行禮。

二祭灶君。在坤寧宮向灶神上香行禮。皇帝還東暖閣，升南床居左，皇后升南床居右，相向坐，進宴席，吃團圓膳。新郎（皇帝）、新娘（皇后）宴席很講究。早餐後，皇帝、皇后乘轎，提爐前導，出順貞門、神武門，進景山北上門，祭聖容。

三祭聖容。到景山壽皇殿列聖、列后聖容（畫像）前拈香行禮。

四祭御容。到承乾宮孝全（道光皇后、咸豐生母）御容（畫像）前行禮。

五祭御容。到毓慶宮孝靜（道光皇后、咸豐十歲喪母后由其撫育）御容（畫像）前行禮。

六祭聖容。到乾清宮文宗（咸豐帝）、穆宗（同治帝）聖容（畫像）前行禮。

七祭神牌。到建福宮孝德（咸豐皇后）、孝貞（慈安太后）神牌前，拈香行禮。

八祭神牌。到養心殿東佛堂，在莊順皇貴妃（道光妃，醇親王奕譞母）神牌前拈香行禮。

除了八祭之外，還有一拜，就是到儲秀宮向慈禧皇太后行大拜禮。

爾後，皇帝升明殿寶座，皇后詣皇帝前跪遞金如意，皇帝賜皇后金如意。皇后率妃嬪等向皇帝行禮。再到儲秀宮慈禧皇太后前跪進金如意行禮，皇太后賜皇帝、皇后金如意。

最後，皇后由吉祥門還鍾粹宮，在佛前拈香，升前殿寶座，接受妃嬪、公主、福晉、命婦等的座前行禮。

二十九日，皇帝以祭社稷壇，自是日始，齋戒三日。

光緒帝后大婚，皇后鳳輿擺如意，喜床上安如意，慈禧賜帝后如意。但是，光緒帝大婚開始就不如意、不吉利，結尾也不如意、不吉利。為甚麼這樣説呢？開始，太和門被焚，做個假的、紙糊的充數，大婚前一場大火，多麼不如意、不吉利；新婚第三天，皇帝齋戒，連續三日。欽天監官員是怎樣定的良辰吉日？光緒帝和皇后葉赫那拉氏的不如意、不吉利還主要表現在：

第一，光緒帝同皇后從新婚就不和，就分居。這個由慈禧太后懿旨娘家侄女的婚姻，是一樁悲劇的婚姻。

第二，光緒帝結婚後，戊戌變法失敗，淪為「政治囚犯」，虛有皇位，沒有皇權，是一個傀儡皇帝。三十八歲盛年，撒手人寰。光緒帝的一生，是悲劇的一生。

第三，光緒帝的大婚，最終成為精心策劃、精心演出的一場「四不」悲劇：吃長壽麵，不長壽；吃團圓膳，不團圓；賜金玉如意，不如意；百子幔裏，不生子。

第四，光緒帝皇后葉赫那拉氏，后年輕守寡，輔侍幼帝，特別是「以太后命遜位」，在隆裕太后葉赫那拉氏手中結束大清王朝。歷史巧合，很有意思：清朝興起第一任皇后是葉赫那拉氏，清朝覆亡最後一任皇后也是葉赫那拉氏。真是巧合了那句話：亡清者，葉赫也！宣統退位兩年後，隆裕太后被葬入光緒皇帝的陵墓，生不同寢，死則同穴。

皇帝大婚是所有婚禮中最隆重、最盛大、最奢華、最煩瑣的婚禮。光緒帝的大婚，從正月二十日到二月初九日，共持續二十天。光緒帝大婚，帳面花銀五百五十萬兩（實際遠不止此）（李鵬年《光緒帝大婚備辦耗用概述》）。這時的清朝，內外交困，危機四伏，財政枯竭，銀庫空虛。《清德宗實錄》記載：光緒帝大婚時，京師俸餉，全無着落。庫儲現在空虛，應放俸餉各項，更屬無從支持（《清德宗實錄》卷二百六十一）。光緒帝大婚之後，清朝宮廷悲劇，連續上演，直至落幕！

第二十四講　坤寧不安

坤寧宮作為皇后的正宮，主要的特徵，應是一個字——「安」，安寧、安順、安康。但明清五百餘年的坤寧宮，卻是「坤寧不安」、「坤寧不順」、「坤寧不寧」。

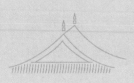

△坤寧宮作為皇后的正宮，主要的特徵，應是一個字——「安」，安寧、安順、安康。但明清五百餘年的坤寧宮，卻是「坤寧不安」、「坤寧不順」、「坤寧不寧」。何以見得？舉明英宗正統帝錢皇后、明世宗嘉靖帝四位皇后和清穆宗同治帝阿魯特氏皇后為例，看坤寧宮是怎樣不安、不順、不寧的。

一 正統皇后

明朝英宗正統帝是在北京故宮坤寧宮裏，第一位舉行大

坤寧宮（林京　攝）

婚典禮的皇帝。他的皇后自然成為坤寧宮第一位從大明門中門坐轎抬進來的主人。

明英宗朱祁鎮（一四二七～一四六四年），祖父是洪熙帝，父親是宣德帝，明史有「洪宣之治」的美譽。但是，洪熙帝在位一年（實際在位僅八個月），宣德帝在位十年，時間都不長。這個時期，經過元末明初的戰爭，尤其是經過「靖難之役」的戰爭，破壞很大，民生凋敝，需要休養生息，不要再去折騰。洪宣時期，社會穩定，生產恢復，文化發展。這個時期的手工藝品，如宣德爐、宣德青花瓷，都是極為有名，極為罕見，極為精細，極為珍貴的文物。

宣德帝三十八歲離世，他的嫡長子朱祁鎮九歲（虛歲）便繼承皇位。朱祁鎮是明朝第一位在坤寧宮大婚的天子。他的皇后錢氏有一段故事。

明英宗皇后錢氏（?～一四六八年），江蘇海州（今江蘇省連雲港市）人。正統七年（一四四二年），立為皇后。錢皇后有件事情被《明史》稱讚。中國帝制時代，皇后娘家被稱為「外戚」。女兒一旦為皇后，娘家人便雞犬升天。漢、唐的外戚之禍，真是史不絕書。明英宗考慮錢皇后娘家身世單微，要封給侯爵，公、侯、伯、子、男的第二等「侯」，尚不是第一等「公」。因錢皇后幾次遜辭，結果始終沒封。所以，《明史·后妃傳》說：「故后家獨無封。」在整個明朝歷史上，皇后家「獨無封」的，只有錢皇后家。但是，錢皇后有八件不幸的事。

一是日夜哀泣。英宗被俘期間，她「夜哀泣籲天，倦即臥地，損一股。以哭泣復損一目」（《明史·后妃傳》卷一百十三）。她晝夜哭泣，哭瞎一隻眼，而且長時間坐在涼地上哭，又損傷一股，可能是一側股骨頭壞死吧！

二是傾囊贖君。「英宗北狩，傾中宮貲佐迎駕。」明英宗被蒙古瓦剌部首領也先俘虜後，要花錢贖回。錢皇后將自己全部私房錢拿出來資助。

三是陪住南宮。明英宗放歸後，被迫住在南宮（今南池子一帶），錢皇后也陪住如同囚徒。但她「曲為慰解」，就是耐心勸慰、開導失意的夫君。

四是中年喪偶。明英宗雖然南宮復辟，重新坐上皇帝寶座，但是三十八歲病故，錢皇后年輕守寡。

五是徽號之爭。明英宗死後，周貴妃兒子朱見深繼位，是為成化帝。他的生母周氏自然為太后，錢皇后也應上「太后」尊號，但周氏不同意。幾番折騰，才獲徽號，很不順利。

六是同葬風波。明英宗臨死前，遺囑錢皇后「與朕同葬」。但錢太后薨，周太后不予同意。成化帝把球踢給大臣

《明英宗錢皇后像》（局部）

們討論，自然有拍周太后馬屁的，有堅持朱明家法的，上下反覆，意見不一，竟然鬧到「吏部尚書李秉（山東曹縣人）、禮部尚書姚夔（安徽桐廬人）集廷臣九十九人」相爭，甚至於「百官伏哭文華門外」。成化帝請示周太后，還是不同意。皇上不答應，群臣就跪在地上不起，「自巳至申」三個多時辰，大約六到八個小時，周太后才勉強同意讓錢太后同葬裕陵（《明史·彭時傳》卷一百七十六），但事情還留個尾巴。甚麼尾巴呢？

七是冥間阻隔。明英宗裕陵埋葬三位遺體：明英宗、錢皇后和周皇后。錢皇后雖然對明英宗蒙難時有特殊功勞，但沒有兒子；周皇后雖然為妃，但生個兒子繼承皇位。周皇后（周貴妃）對錢皇后，不但在生前，而且在身後，仍然「爭寵」。死了怎麼「爭寵」呢？明英宗的棺槨兩側，左側壙穴安放錢皇后的棺槨，右側壙穴是預留安放周皇后的棺槨。周太后堅持錢皇太后棺槨的壙穴要隔開數丈，並要「窒之」不通，堵塞，而自己棺槨的壙穴要與明英宗的棺槨之間相近相通。

八是不設牌位。在奉先殿祭祀，周皇后安設牌位，錢皇后不設牌位。

錢皇后雖是第一位從大明門坐花轎抬進坤寧宮的正宮皇后，卻遭受到八大不幸！顯然，這不是個案，嘉靖帝幾位皇后的命運又是一個例子。

二　嘉靖皇后

嘉靖帝是一位不安分的皇帝，大興土木，崇信道教，遭遇宮難，幾乎喪命。他在位四十五年，享年六十歲，在位時間僅次於在位四十八年的萬曆皇帝，壽齡僅次於七十一歲的洪武帝朱元璋和六十五歲的永樂帝朱棣。嘉靖帝先後有四位皇后，是明朝十六位皇帝中皇后最多的一位皇帝。但是，這四位皇后最後都是不幸的。

第一任陳皇后，元城（今河北省大名縣）人。嘉靖元年（一五二二年），十六歲的嘉靖帝冊立陳氏為皇后。嘉靖七年（一五二八年）十月的一天，嘉靖帝與陳皇后同坐，這時張妃、方嬪二人進茶。二十三歲的青年天子嘉靖皇帝，好奇而深情地看張妃和方嬪纖細白嫩的手。陳皇后吃醋，嫉妒，生氣，「投杯而起」將茶杯往桌子上一蹾，挺身而起。嘉靖帝暴怒，大聲呵斥。正懷孕的陳皇后受到驚嚇，渾身哆嗦，後

《明世宗陳皇后像》（局部）

流產而死。這位陳皇后心太小了，既然嫁在皇帝家，就要面對「三宮六院七十二妃」的現實，應當怎麼去對待？或者忍耐，或者反抗——哪怕是無言無行的反抗，都會或可能會遭遇可怕的後果！朝廷大臣伴君如伴虎，后妃伴君何嘗不是如此呢！最近報紙上有句話：維持愛情最好的辦法是忍耐，這話對與錯，暫不去評論，嘉靖帝的陳皇后當時是不會聽到這番話的。堂堂嘉靖帝的陳皇后，竟然一身兩條性命，就這樣悲慘地喪歸黃泉！人，不能任性，該忍則忍。《論語．衛靈公》說「小不忍則亂大謀」。嘉靖帝陳皇后的人生失敗，告訴人們：禍生於任性，事成於忍耐。

第二任張皇后，就是嘉靖帝在品茶時看其手的那位張順妃。陳皇后暴崩後，張順妃被冊立為皇后。這時，嘉靖帝正在追循古禮，讓皇后率領妃嬪等到先蠶壇去行親蠶禮，還讓張皇后率領六宮妃嬪、選侍、淑女等，在宮裏聽講《女訓》。張皇后任職皇后五年，便被免職廢居別宮。張皇后是甚麼地方人，為甚麼被廢了，《明史．后妃傳》都沒有記載。張皇后被廢的事，使人們知道：做皇后也不容易，也不是「鐵飯碗」。張皇后被廢，打入冷宮，心情鬱悶，又沒處說，兩年後就死了。張皇后遺留的中宮「職務」，由方皇后接任。

第三任方皇后，江寧（今江蘇省南京市）人。方氏怎麼會當上皇后呢？這裏有兩個機遇：第一個機遇是，嘉靖帝當了十年皇帝，已經二十六歲，還沒有兒子。於是，一位叫張璁後改名孚敬的大學士，向嘉靖帝建議：「古者天子立后，並建六宮、三夫人、九嬪、二十七世婦、八十一御妻，所以廣嗣也。陛下春秋鼎盛，宜博求淑女，為子嗣計。」他建議嘉靖帝除皇后外，應在全國選娶一百二十多位「淑女」，即年輕、漂亮、聰明、賢慧的美女到後宮，為嘉靖帝多生些兒子。這個馬屁拍得嘉靖帝很高興，順水推舟，頒旨「從之」！隨後，方氏等九人就被冊封為九嬪之一的嬪，不久又升為妃。張皇后被廢，她就成為坤寧宮的主人、執掌六宮的方皇后。

這位方皇后，在夫君「壬寅宮難」時，救了嘉靖帝一命（前面已經講過）。但是，方皇后厄運來了：嘉靖二十六年（一五四七年），病崩。雖然嘉靖帝深感方皇后救危之恩，並下詔曰：「皇后比救朕危，奉天濟難，其以元后禮葬。」這話的意思是方皇后葬儀要按照嫡娶的皇后葬禮對待。但是，後來事態，起伏曲折，就不多說，有興趣者，看《明史．后妃傳》吧！方皇后死後，皇后的空缺，由杜皇后填補。

第四任杜皇后，大興（今北京市）人，本來是嬪，後進為妃，但是命好，生了兒子，就是後來的明穆宗隆慶帝，她也就成為萬曆皇帝的奶奶。不過，人的命運，起伏跌宕，難以預料。杜皇后在嘉靖三十三年（一五五四年）正月薨，離她兒子當皇帝還有十二年，所以杜皇后沒有看見兒子登極為帝，自己也沒有享受皇太后的清福。

嘉靖皇帝的四位皇后，或慘死，或被廢，或歷險，或早死，都沒有享受完整圓滿的人生。那麼，清朝的皇后呢？

三 同治皇后

清朝入關後，第一任皇后共有九位（宣統帝未計），在坤寧宮大婚的有康熙帝、同治帝和光緒帝三位。可以說，清朝所有第一任皇后，沒有一位是好命的。我只選同治皇后一位，來看看她的悲劇故事。

同治帝六歲（虛歲）登極，同治十一年（一八七二年）九月，十七歲的同治皇帝大婚。皇后阿魯特氏，蒙古正藍旗人。她出身於相府之家，書香門第，祖父賽尚阿為大學士，父親崇綺為狀元。史稱：「立國二百數十年，滿、蒙人試漢文獲授修撰者，止崇綺一人，士論榮之。」（《清史稿．崇綺傳》卷四百六十八）就是說清朝定鼎北京後的二百六十八年間，滿族、蒙古族人以漢文參加科舉考試而中狀元的，只有崇綺一人，士人以此為榮。後遷侍講、戶部尚書、日講起居注官等。義和團失敗後，崇綺走保定，住蓮池書院，自縊而死。崇綺妻瓜爾佳氏，也是忠貞節烈的女子英傑。八國聯軍攻入北京時，她先派人預掘深坑，率一子四孫及兒媳等，分別男女，入坑活埋，闔門死難。

皇后阿魯特氏幼年，由父親崇綺親自授課，講解經史，學習詩詞，受到良好的家庭教育。她聰明賢慧，知書達理，性格剛烈，不善奉迎。阿魯特氏被立為皇后，同治帝與皇后僅在坤寧宮居住兩天，就搬到養心殿後殿的體順堂居住。皇后遇齋戒期，居住在鍾粹宮。（《翁文恭公日記》）

皇后阿魯特氏真是命薄，結婚兩年零兩個月，同治十三年（一八七四年）十二月初五日，同治帝崩於皇宮養心殿。同治帝的死，同下面一件事情有關。據説慈禧有「寡母心態」，嫉妒兒子同皇后親熱，不許兒子與皇后同房。慈禧太后不喜歡皇后阿魯特氏，而喜歡慧妃，要兒子同治帝對慧妃好。同治帝不敢違抗，又不喜歡慧妃，只好賭氣獨宿養心殿，生活寂寞寡歡。因為慈禧太后處處刁難，皇后阿魯特氏日子過得很不舒心。同治帝病重，皇后護侍，也遭到慈禧太后的呵責。溥儀在《我的前半生》中記載：同治病重，皇后前去養心殿探視，二人説了些私房話，被慈禧皇太后知道。慈禧太后怒不可遏，闖入暖閣，「牽后髮以出，且痛抶（鞭笞）之」，並叫來太監預備大杖伺候。據説皇后情急之下説了句話：「媳婦是從大清門抬進來的，請太后給媳婦留點體面！」慈禧太后以側居西宮為遺憾，也為咸豐帝臨終前沒有冊立自己為皇后而不滿。「從大清門抬進來的」這句話，刺痛了慈禧太后由秀女從神武門入宮的心。慈禧太后大發雷霆，同治帝被嚇暈，病情愈加嚴重。慈禧太后見同治皇帝驚怖，才未對皇后動刑。同治帝之死，慈禧將責任栽到皇后頭上。

同治皇帝之死，對這位年輕皇后來說，簡直是塌了天。皇后喪夫心情不好，慈禧喪子心情也不好。慈禧太后把氣往皇后身上撒。「未亡人」皇后阿魯特氏此時，大悲大慟，不思飲食，吞金自殺，獲救得生。皇后之父崇綺，奏告慈禧皇太后。皇太后回答：「可隨大行皇帝去罷！」皇帝死了，尚未入葬，稱大行皇帝，就是說可以隨夫同治帝殉死。崇綺將此話告訴女兒。而且慈禧太后不為同治帝立嗣，卻讓同治堂弟兼姨表弟的載湉（光緒）繼承皇位，就是說光緒帝繼承的不是同治帝，而是咸豐帝，這實際上是不為皇后留餘地。皇后阿魯特氏被逼無奈，只有自盡一條路可走。光緒元年（一八七五年）二月二十日，同治帝死後七十四天，皇后阿魯特氏「遽爾崩逝」，才二十二歲，梓宮暫安於隆福寺。皇后阿魯特氏之死，或云「絕食崩」，或云「吞金死」（唐邦治《清皇室四譜．后妃》）。野史記載：同治帝皇后懷孕，慈禧太后恐其生男孩，將來纘（繼承）承大統，不能垂簾，故逼其死。有位御史潘敦儼，借天旱奏言：「后崩在穆宗升遐百日內，道路傳聞，或稱傷悲致疾，或云絕粒殞生，奇節不彰，何以慰在天之靈？何以副兆民之望？」慈禧太后斥其謬妄，奪其官職。

明朝曾有一位皇后，是她的母親夢見圓月入懷而生下的。這個夢是真的還是編的，且不去管它。做父母的都希望女兒能有一個像圓月般的幸福人生，但是身為皇后的都難以做到這一點，更何況普通百姓呢！以上這些皇后的不幸人生，留給後人歷史啟示：人生如月，或圓或缺，坦然對待，自然輪迴。

第二十五講　坤寧不寧

明清二十八位皇帝的第一任皇后，雖居於天下女性之至高、至尊、至富、至貴的地位，但沒有一位是在泰安、泰寧、泰和、泰順中度過一生的。用老百姓的話來說，她們「全須全尾」、無怨無憾度過一生的，可以說是一個沒有！其實，人生本來就沒有十全十美的。我們生活中遇到一點磕碰、挫折、坎坷、困厄，都應坦然面對，淡定處之。

△明清坤寧宮裏正統、嘉靖、同治三位皇帝的六位皇后，她們都有不安、不靜的悲劇故事。坤寧宮裏僅有這六位皇后的不幸故事嗎？不是的。明清五百餘年的坤寧宮，多不安寧，所以要說：「坤寧不安」，「坤寧不寧」。

△但是，明清的皇后並不都住在北京坤寧宮。明朝二百七十六年間，無論在南京皇宮坤寧宮，或是在北京皇宮坤寧宮，抑或是在其他宮殿生活過的第一任皇后；清朝二百九十六年間，無論是在興京（今遼寧省撫順市新賓滿族自治縣）赫圖阿拉汗王宮，或是在盛京皇宮清寧宮，抑或是在北京皇宮坤寧宮生活過的第一任皇后：她們的命運並不都是像命理家所預言的那麼富貴，也不像老百姓想像的那麼幸福。她們的真實命運是甚麼樣子呢？本講以明朝十六位皇帝、清朝十二位皇帝，共二十八位皇帝的第一任皇后為例，來看一下她們是怎樣演出了「坤寧不寧」的悲劇。

一　明宮皇后

明朝坤寧宮皇后的夫君，就是乾清宮的十六位皇帝。他們是很不好記的。我想，分作三段，會好記些。哪三段呢？

第一段洪（武）、建（文）、永（樂）、洪（熙）、宣（德）五位皇帝。

明朝十六位皇后的第一任皇后的命運如何呢？我們一段一段地、一個一個地數一數：

洪武帝朱元璋的馬皇后，宿州（今安徽省宿州市）人，父馬公（不知名字），「元末殺人，亡命定遠」（《明史．馬公傳》卷三百）。母早亡，馬公將小女託付給友人郭子興撫養。朱元璋在郭子興部下，郭把這位養女許配給朱元璋。朱元璋稱帝，這位夫人就成了馬皇后。馬皇后沒有文化，受過苦難，經過戰爭，史稱她「仁慈有智鑒，好書史」（《明史．后妃傳》卷一百十三），就是性仁慈，有智慧，肯思考，好讀書。她陪着丈夫掌管六宮。朱元璋活了七十一歲，馬皇后卻五十一歲就死了，早於夫君二十年過世，並不可意。

建文帝朱允炆的馬皇后，先是做皇太孫妃。建文帝繼承皇位後，被冊立為皇后。「靖難之役」南京陷落，馬皇后葬身於火中。建文帝二十二歲登極，在位四年，落難時才二十六歲。這時的馬皇后，也只是二十多歲，做了政治鬥爭的犧牲品，是很可悲的。

永樂帝朱棣的徐皇后，是大將軍、右丞相、中山王徐達的女兒。先是做燕王妃，燕王奪取皇位，登極稱帝，她也就成為徐皇后。但是，永樂帝遷都北京，建造北京紫禁城宮殿，這位徐皇后在正位北京坤寧宮之前，四十六歲病死。後葬於北京十三陵的長陵。徐皇后聰明賢慧，很識大體，卻死得過早，又沒有正位北京坤寧宮，實在是可惜。

洪熙帝朱高熾的張皇后，永城（今河南商丘永城市）人，早年封為燕王世子妃。燕王稱帝后，冊為太子妃。這位太子妃，很得公公永樂皇帝的喜歡和器重。太子朱高熾身體太胖，胖到「體肥碩不能騎射」，永樂帝幾次都想廢掉太子，但因太子妃賢慧而沒有廢掉（原因之一）。太子妃幫助太子減肥，主要辦法是「減膳」，就是少吃。不是有個減肥順口溜「管住嘴，走斷腿」嗎？太子妃幫助自己的先生太子減肥的辦法就是「減膳多動」，總算保住太子的位子。太子朱高熾繼位後，還是因為身體過胖，可能是「三高」——高血壓、高血脂、高血糖吧，洪熙元年（一四二五年）四月，《明史・仁宗本紀》記載：「崩於欽安殿，年四十有八。」夫君實際上只做了八個月的皇帝，四十八歲就離開人間，張皇后盛年寡居，孤燈長夜，實在悲苦。

宣德帝朱瞻基的胡皇后，山東濟寧人，「無過被廢」。為甚麼被廢呢？史書是這樣回答的：「時孫貴妃有寵，后未有子，又善病。」胡皇后沒有生子，身體常有病。怎麼被廢的呢？史書又記載：「帝令后上表辭位，乃退居長安宮，賜號靜慈仙師，而冊貴妃為后。」（《明史・后妃傳》卷一百十三）胡皇后寫了辭職報告，廢后想不開，時怏怏，常泣泣，後病死，葬金山（西山）。

第二段正（統）、景（泰）、成（化）、弘（治）、正（德）五位皇帝。

正統帝朱祁鎮的錢皇后，其悲劇，前已述。

景泰帝朱祁鈺的汪皇后，順天（今北京市）人，因忤帝意被廢。這是怎麼回事呢？景泰帝的杭妃生了個兒子叫朱見濟，要立為太子，而要廢原正統帝立的朱見深，汪皇后不同意。這就觸犯了景泰帝，廢汪皇后，立杭皇后。明英宗復辟後，廢后汪氏遷出皇宮，又被抄家。廢后汪氏，心情抑鬱，不久病死，以妃禮，葬金山（北京西山）。

成化帝朱見深的吳皇后，順天（今北京市）人，因成化帝寵愛比他大十七歲的萬貴妃而生氣，她不客氣，也不留情，對萬貴妃「摘其過，杖之」。「打狗看主人」，打萬貴妃怎能不看主人呢！成化帝大怒，詔廢吳皇后。

弘治帝朱佑樘的張皇后，興濟（今河北省青縣境）人，雖做了皇后，但因夫君三十六歲死而年輕守寡，不能算作「圓滿人生」。

正德帝朱厚照的夏皇后，遇上胡鬧的皇帝夫君，且夫君三十一歲就死了，也是年輕寡居。后父夏儒，為人長厚，既已富貴，「服食如布衣時，見者不知為外戚也」（《明史‧夏儒傳》卷三百），受到稱讚。

第三段嘉（靖）、隆（慶）、萬（曆）、泰（昌）、天（啟），五位皇帝。

嘉靖帝朱厚熜的陳皇后，淒慘悲劇，前面已述。[1]

隆慶帝朱載坖的李皇后，昌平（今北京市昌平區）人，雖然生了兒子，卻四歲殤，自己又在夫君繼位前死去，只活了二十幾歲，皇后是她死後追封的。

萬曆帝朱翊鈞的王皇后，餘姚（今浙江省餘姚市）人，碰上寵愛鄭貴妃的夫君，也只能忍氣吞聲，外露笑顏，內心悲苦，而且沒有生子。

泰昌帝朱常洛的郭皇后，順天（今北京市）人，在夫君繼位前死，皇后是追封的。

天啟帝朱由校的張皇后，祥符（今河南省開封市）人，不僅沒有生兒子，夫君二十三歲死去，自己也在李自成打進明皇宮後自殺。她的悲劇人生後文還要詳述。

以上三段，每段五位，一共是一十五位皇帝及其

1 陳萬言，肅皇后（嘉靖陳皇后）父也，大名人，起家諸生。嘉靖元年（一五二二年）授鴻臚卿，改都督同知，賜第黃華坊。明年詔復營地於西安門外，費帑金數十萬。工部尚書趙璜以西安門近大內，治第毋過高。帝怒，逮營繕郎翟璘下獄。言官余瓚等諫，不省。尋封萬言泰和伯，子紹祖授尚寶司丞。又明年，萬言乞武清、東安地各千頃為莊田，詔戶部勘閑地給之。給事中張漢卿言：「萬言拔跡儒素，聯婚天室，當躬自檢飭，為戚里倡，而僭冒陳乞，違越法度。去歲深冬冱雪，急起大第，徒役疲勞，怨讟載道。方今災沴相繼，江、淮餓死之人，掘穴掩埋，動以萬計。萬言曾不動念，益請莊田。小民一廛一畝，終歲力作，猶不足於食，若又割而畀之貴戚，欲無流亡，不可得也。伏望割恩以義，杜漸以法，一切裁抑，令保延爵祿。」帝竟以八百頃給之。巡撫劉麟、

第一任皇后。有人說：「明朝是十六位皇帝，還缺一位啊！」我說：是的！那一位也好記，「崇禎上吊明朝完」的周皇后。

崇禎帝朱由檢的周皇后，蘇州（今江蘇省蘇州市）人，前面寫過，被逼自縊，更是悲劇。

清朝十二位皇帝的第一任皇后的命運又如何呢？

二 清宮皇后

清朝十二位皇帝的第一任皇后，也都是悲劇結局嗎？是。不信？我們一個一個地看看。

天命汗努爾哈赤的皇后葉赫那拉氏，二十九歲撇下丈夫、兒子死去。葉赫那拉氏病重前，想見母親一面。當時建州部與葉赫部關係緊張，努爾哈赤派人到葉赫部請葉赫那拉氏的母親到建州看望女兒，但遭其兄納林布祿拒絕。葉赫那拉氏在思念母親和疾病痛苦中離開人世。[2]

崇德帝皇太極的皇后博爾濟吉特氏，雖然主掌六宮，清寧宮四位妃子中，兩位是她的侄女，兩位是敵部林丹

御史任洛復言不宜奪民地，弗聽。七年，皇后崩，萬言亦絀。十四年卒，子不得嗣封。（《明史．陳萬言傳》卷三百）

2 清太祖努爾哈赤原妃佟佳氏，是褚英和代善的生母，清追謚「太祖孝慈高皇后」的是葉赫那拉氏，所以本文依據《清太祖高皇帝實錄》和《清史稿．后妃傳》，取努爾哈赤的第一任皇后為葉赫那拉氏。

汗的遺孀，但夫君五十二歲突然故去，自己盛年寡居。

順治帝福臨的皇后博爾濟吉特氏，雖「麗而慧」，卻被廢黜。順治八年（一六五一年）被冊立為皇后，僅兩年就被廢。這年順治帝十六歲（虛歲），廢后年齡《清史稿·后妃傳》沒有記載，她的年齡也不會太大吧！

康熙帝玄燁的皇后赫舍里氏，祖父索尼是輔政大臣，父親噶布喇是領侍衛內大臣，叔父索額圖是大學士，但她生下兒子（即廢太子胤礽）當天死去，才二十二歲。

雍正帝胤禛的皇后烏拉那拉氏，雍正元年（一七二三年）冊為皇后，雍正九年（一七三一

《孝賢純皇后半身像》

年）就死去。

乾隆帝弘曆的皇后富察氏，乾隆十三年（一七四八年）隨駕南巡，歸途中，《清高宗實錄》記載：「駕至德州登舟。亥刻。皇后崩。」這裏的「登舟」，是已登舟，還是要登舟？記載有隱筆。《清史稿．后妃傳》則記載：「后崩於德州舟次。」「舟次」，是船裏，還是船外？是舟上，還是水中？記載很含糊。有書記載是投水自殺的。皇后富察氏死時才三十七歲。

嘉慶帝顒琰的皇后喜塔拉氏，被冊為皇后的第二年就死了，真是福分不夠，而夫君比她多活了二十四年。

道光帝旻寧的皇后鈕祜祿氏，不到三十歲，還沒當上皇后就死了。她死後才追封為皇后的。

咸豐帝奕詝的皇后薩克達氏，剛被冊為嫡福晉才兩年，還沒有做皇后，大約不到二十歲就死了。咸豐帝繼位後，被追封為皇后。

同治帝載淳的皇后阿魯特氏，死得很慘，前文已述及，既年輕，又死因不明不白。

光緒帝載湉的皇后葉赫那拉氏，就是後來的隆裕太后，自大婚後就夫妻不和，後夫君被幽禁。光緒帝三十八歲死時，她四十一歲，撫養一個三歲的小溥儀，做太后三年，親自懿旨《遜位詔書》，又過兩年，就病死了，才四十六歲。

宣統帝溥儀的「皇后」郭布羅氏，實際上溥儀這時不是皇帝，而是平民，他們更是路人皆知的愛情悲劇、政治悲劇。

三 坤寧之鏡

坤寧宮畢竟是皇后的正宮。這座宮殿的名稱，企望住在坤寧宮裏的皇后能夠安寧，也能夠康寧，但是這個願望實現了嗎？

縱觀明清二十八位皇帝的第一任皇后，給人一個深刻而鮮明的印象是：坤寧不安，坤寧不寧。任何一位皇帝，任何一位皇后，其人生最起碼的訴求，最基本的企望是兩個字：「安」和「康」安，主要是安平，安順；康，主要是康寧，康健。沒有平安，沒有健康，雖財富萬貫、權勢至高，又有甚麼快樂可言，又有甚麼幸福可享！

當然，明清二十八位皇帝的第一任皇后的不幸，只是帝后生活中的不幸。其不幸的原因，有制度的，有宮廷的，有家族的，有夫君性情的，也有皇后個人的，等等。她們即使被打入冷宮，雖沒有自由，沒有愛情，但大多過着衣食無憂的生活。這同平民百姓的不幸是不可同日而語的。

總之，我們從上面坤寧宮的歷史鏡子裏可以看到：明朝十六帝、清朝十二帝共二十八位皇帝的第一任皇后，或過早離世，或無過被廢，或沒有子嗣，或年輕寡居，或死於非命，或失意悲愴。她們雖居於天下女性之至高、至尊、至富、至貴的地位，但沒有一位是在泰安、泰寧、泰和、泰順中度過一生的。用老百姓的話來說，她們「全須全尾」、無怨無憾度過一生的，可以說是一個沒有！其實，人生本來就沒有十全十美的。我們老百姓生活中遇到一點磕碰、挫折、坎坷、困厄，都應坦然面對，淡定處之。

第二十六講　坤寧張后

明天啟帝懿安皇后的一生，既是榮華富貴的一生，又是悲慘結局的一生。從十五歲到三十八歲，作為皇后和懿安皇后，自然是享盡榮華富貴，卻無法左右自己的命運。懿安皇后幼年淒苦，青年喪夫，盛年遭變，自縊身亡，在悲喜交織的命運中，度過了短暫的一生。

⌂明清的皇后挑選、皇后命運、皇后結局是怎樣的呢？可以說是千差萬別，各有不同。本講選擇明熹宗天啟帝的懿安皇后張嫣[1]，作為一個典型例子，來看她是怎樣度過皇后一生的。

一 皇后挑選

明清皇帝挑選皇后，明朝是在全國海選淑女，清朝是在八旗普選秀女。明清兩朝，據《明史．后妃傳》和《清史稿．后妃傳》記載，生前冊立為皇后的，明朝有十九位，清朝有十三位，共計有三十二位。本講就以明天啟帝的懿安皇后為例，看看這位皇后一生的命運。材料主要參考清人《懿安皇后外傳》，參酌其他宮廷史料，恕不一一注明出處。

從天下淑女中選皇后，明有先例。明憲宗成化帝選皇后時，皇太后諭禮部：「榜諭京城內外，於大小官員民庶有德之家，務擇其父母賢善，素有家法女子，年

1 《中文大辭典》「懿安后」條釋文：「謚號：一、唐憲宗后郭氏之謚，二、明熹宗后張氏之謚。」《辭海》「謚」條釋文：「封建時代在人死後按其生前事跡評定褒貶給予的稱號。」生前為徽號，身後為謚號。所以明熹宗天啟帝懿安皇后的「懿安」在其生前，應作徽號。

十五至十八，容貌端潔，性資純美，言動安詳，咸中禮度者，令其父母送來，吾將親閱焉。」（《明憲宗實錄》卷三）明天啟帝也是循照祖制，命禮部，選淑女，擇為后，充正宮。（《明熹宗實錄》卷六）

明熹宗天啟帝的懿安皇后張氏，名嫣，字祖娥，小字寶珠，河南祥符縣（今開封縣）人。她的父親張國紀，為明朝生員。張皇后出生，有一個傳說：張國紀家很窮，早上起來出去，見道旁有一個丟棄的女嬰，躺在霜雪中，沒有死，也不哭，很奇怪。這時有一位和尚路過，跟張國紀說：「此女當大貴，可收養之。」張國紀便抱起這個棄嬰回家撫養。時間是萬曆三十五年（一六〇七年）十月初六日，這個女嬰就是後來的懿安皇后。

張嫣小時候純潔嫻靜，笑不露齒。七歲的時候，茹苦耐勞，灑掃庭院，洗衣做飯，樣樣都會。沒事的時候，獨處一室，習做女紅，閱覽書史。十三四歲，窈窕端麗，絕世無雙。張國紀喪偶後，張嫣把家裏家外收拾得井井有條，照顧弟妹，友愛親切。

天啟元年（一六二一年）三月，天啟帝朱由校要大婚，詔選天下十三到十六歲的淑女。徵集參選的淑女有張嫣等約五千人，到了北京。在京進行初選、複選、終選等複雜過程。

初選

第一輪　每百人一組，以年齒為序，都整齊站立，由太監按組逐個檢查。太監邊檢查邊說：某稍高，某稍矮，某稍胖，某稍瘦。這一輪淑女被淘汰的大約一千人。

第二輪　還是每百人一組。太監逐個查驗被檢淑女的耳、目、口、鼻、髮、膚、腰、領、肩、背等十項，有一項不合格的，就被淘汰，大約一千人。

第三輪　仍是每百人一組，由內監再次檢查，言為心聲，審查聲音。讓這些淑女自己朗誦姓氏、籍貫、年歲，聽淑女的聲音，凡是稍強、稍弱、稍粗、稍濁、稍快、稍慢的，都被淘汰，大約千人。

複選

第一輪　參加複選的淑女，太監拿着尺子，一個一個地測量淑女的手和腳。檢查其手部和腳部，手腕稍粗、稍短，腳趾稍長、稍大的淑女就淘汰，然後命轉圈走數十步，觀察淑女走路的姿態、風度，共淘汰大約千人。

第二輪　五千人已淘汰四千人，留下約一千人，都召入宮裏，進行挑選。由老年宮娥，將淑女引進密室，觀其形體，查其乳房，嗅其腋味，撫其皮膚，淘汰者約七百人。

第三輪　應選淑女約三百人，在宮裏住一個月。仔細觀察其性情、言辭等項，總體評價其性格與修養的剛柔、愚智、賢否、粗細，最後入選淑女僅五十人。這些淑女，可為皇帝的妃嬪、選侍等。

終選

最後是司禮監秉筆太監劉克敬，總理皇帝選婚之事。後宮由住在慈寧宮的萬曆帝的劉昭妃（壽八十七歲），時為太妃，掌管太后寶璽。最後由天啟帝欽定。

第一輪　初試：劉克敬主持，查其書法、口算、詩詞、音樂、歌舞等，測評文化素養，從中選中三人，就是張嫣、王氏和段氏。這三人：「面如觀音，色若朝霞映雪，又如芙蓉出水；鬢如春雲，眼如秋波，口若朱櫻，鼻如懸膽，皚齒細潔，豐頤廣顙，倩輔宜人；頸白而長，肩圓而正，背厚而平；行步如青雲之出遠岫，吐音如流水之滴幽泉；不痔不瘍，無黑子創陷諸病。」上面的描述有點像小説家言，但可以反映出那個時代的審美情趣和健美標準。

第二輪　複試：由宮女引張氏到密室進行複試。劉太妃用青紗帕蓋着張嫣，又用金玉等信物，繫着她的兩臂。

前文述及劉太妃選出三人，是在甚麼地方選的呢？這座殿是甚麼殿呢？葡萄牙人耶穌會士安文思記作「御婚殿（Yuen Hoen Tien）」[1]，《明實錄》記作元輝殿。文華殿北為慈慶宮區（清改造為南三所）。徽音門內為麟趾門，後為慈慶宮。麟趾門東為關睢左門，內有掌印秉筆值房。麟趾門西為關睢右門，門外為元輝殿。這座殿現在沒有了。凡選中為后或妃者，都要先住在這裏，以便次第奏請舉行吉禮。這可能是外國人據音譯記載所誤。在元輝殿選定的三人，暫居此殿，以待欽定。（劉若愚《酌中志》卷十七）

第三輪　欽定：最後將張嫣引見到天啟帝面前，天啟帝非常喜歡張嫣。這年張嫣十五歲，長得身體修長、豐滿、清爽、秀麗。史書記載：明天啟元年（一六二一年）四月初三日，「是日，元輝殿選定淑女三位，河南祥符縣張氏、順天府大興縣王氏、南京鷹揚衛段氏」（《明熹宗實錄》卷九）。張、王、段三位，孰為后，孰為妃？

1　《中國新史》第一五七頁，大象出版社。

一說客氏反對張氏為后，其理由是：「此女他日長成，必更肥碩，少風趣，安得為正選？」另一說是泰昌帝趙選侍贊成張氏為后：「若論端正有福，貞潔不佻，則張氏女尤其上也。」最後欽定：張氏為皇后，王氏和段氏為妃。

張嫣被選，經過冊封，成為天啟皇帝的皇后。

二 皇后命運

天啟元年（一六二一年）四月二十七日，天啟帝與張皇后合巹成婚。這一年，天啟帝十七歲，但身材矮小，張皇后十五歲，卻個高成熟。

張皇后喜歡讀書，也愛寫字，臨摹顏體，書法秀勁。又選擇聰明知書的宮女，給朗讀唐詩宋詞，長夜孤燈，靜心學習。她還喜歡女紅，用白綾製衣如鶴氅（外套）式，穿上禮佛敬香，宮中稱這種衣服為「霓裳羽衣」，受到妃嬪和宮女們的讚揚。但是，如此賢慧的張皇后，在坤寧宮並不平安，未能躲過「三災八難」。

水火不容，以正對邪。皇后張氏與乳媼客魏為天敵。客氏見天啟帝寵愛中宮皇后，內心嫉妒，非常不悅，常詰問天啟帝：「陛下取少艾而忘我乎！」（您娶了美貌少女而忘了我耶！）客氏和魏忠賢勾結，引導天啟帝疏離皇后，日夜淫樂。客氏過生日，天啟帝親往祝壽，酣飲三日，笙歌喧慶。但皇后千秋節（過生日），宮中冷清。客魏離間帝后之間關係，玩弄天啟帝於掌上。後大臣諫言客氏出宮。客氏要出宮時，天啟帝哭哭啼啼，不吃不喝。客氏沒有出宮。

小人難防，以靜制動。魏忠賢用萬金招募一個大盜，潛入坤寧宮，夜裏隱藏。漏數下，后闢門，將就寢，對鏡卸妝後，坐在紫檀馬桶上。突然聽到聲音，見賊影晃動，皇后一聲喊，賊驚嚇墜地。皇后驚起，呼召宮人，以繩縛賊，將奏交天啟帝處置。魏忠賢害怕，請交他命錦衣衛殺之。

懷孕墮胎，失去元子。天啟三年（一六二三年），張皇后懷孕。客魏設法使皇后墮胎，天啟帝竟然失去元子。魏忠賢更加張狂，矯詔殺楊漣、左光斗等。后聞之，上言天啟帝，至於涕泣沾襟。後宮則裕妃張氏被賜死；慧妃范氏，成妃張氏，都遭斥責，打入冷宮。

躲過鳴鏑，又遭暗箭。客魏設計陷害張皇后。時有河南人叫孫二，犯重罪，在獄中。魏忠賢以出獄和重金為誘餌，同孫二設計，編造説張皇后為自己所生，給張國紀為養女。客魏又在宮中散佈流言，並對天啟帝説：罪人孫二之女，不宜玷辱宮闈。天啟帝曾懷疑，幾次打算廢后。天啟帝到坤寧宮見皇后，又戀戀不捨，便開玩笑説：「你是重犯孫二之女嗎？」皇后頰暈微紅，默然不應，良久，便答道：「皇上若信浮言，妾豈敢久辱宮禁，願早賜廢斥。」帝謝之，后起入內室，帝復從而謝焉。手為整冠，后始強顏一笑。帝留與后對坐御膳，遂雍睦如初，對魏忠賢説：「皇后朕所憐愛，浮言不足深究。」天啟六年（一六二六年）秋，客魏百計傾陷，陰謀廢后，大學士、禮部尚書李國榗説：「君后，猶父母也，安有助父陷母者？」忠賢稍止。天啟七年（一六二七年）二月，魏忠賢唆使其黨梁柴夢疏劾張國紀。天啟帝削國紀爵祿，放歸故郡。皇后免冠去飾，詣帝拜謝，帝加慰勸。

皇后每日午後，必披鶴氅，禮佛誦經。帝問何自苦，對曰：「為忠臣楊漣、左光斗等祈福耳。」又一日，帝幸後宮，后讀書聲達戶外。帝問后讀何書，答曰：「趙高傳也。」暗喻魏忠賢，天啟帝默然。

正宮皇后，以正為先。張皇后面對皇帝、客魏、六宮的複雜關係，她怎麼辦呢？對皇帝「以誠懇結上寵」，對客魏陰謀「以澹靜處之」，對妃嬪推薦侍寢，自己則「心地坦然」。張皇后的性格外剛內柔，天啟帝說：「汝性剛烈，不苟言笑。然吾見汝面，則怡然但覺嫵媚可憐。」性格剛烈而外貌柔美有甚麼表現呢？

泛舟水上，良言規勸。天啟帝有時同張皇后到西苑蕩槳泛舟，天啟帝手操船槳，搖櫓靈巧，去來便捷，要博得皇后一笑，但皇后正言規諫要覽章奏，御講筵，親正士，戒小人。天啟帝說：「汝吾師也。」你是我的老師！但不久嬉遊如故。魏忠賢在宮裏演淫穢戲，淫亂庸俗，不堪入目。皇后實在看不下去，託詞身體不適而離席。

拒看內操，嚴守宮範。還有一次，天啟帝召皇后一同觀看內操，就是太監和宮女共同操練。天啟帝親自為將，一列是宦官三百人，繪製龍旗，迎風招展，列隊於左；另一列是宮女三百人，繪製鳳旗，排列整齊，列隊於右。皇后一看，說是有病，退席先回。天啟帝只好命宮人中美麗豐滿的替代皇后領操。

清靜身心，自愛自重。天啟帝常攜帶「房中藥」（春藥）到坤寧宮，皇后收起來投入井中。她勸天啟帝說：聖上身體清弱，宜為宗社自愛。張皇后平時在宮中，雖然天氣暑熱，必正襟端坐，不施芳澤，不傅粉黛。有時清晨對鏡理妝，天啟帝從後面看，親自為皇后畫眉。天啟帝又嘗伺皇后於浴室，笑道：「汝無瑕，如白玉，真所謂玉人也。」又說：「汝臀肥大，必有後福，生子當不遠矣。」

天啟臨終，以正相待。天啟七年（一六二七年）五月初六日，天啟帝病。至七月末，移居懋勤殿。每召皇后侍疾。魏忠賢進仙方靈露飲之，天啟帝病日重。到八月十八日，病危。魏忠賢設計奪權。

設計掉包，魏氏攝政。魏忠賢抬出魏良卿對付危局。魏良卿是何許人？他是魏忠賢的侄子，在寧遠大捷中毫無戰功，卻被封為肅寧伯，皇極殿建成晉升為肅寧侯，不久再晉為肅寧公，賜莊田一千頃，即十萬畝。魏忠賢想了個主意：想讓張皇后假裝懷孕，取魏良卿的兒子為皇后的兒子，張皇后垂簾聽政，立魏良卿為攝政，等其長大再立。這時張皇后年二十一。魏良卿私下對人說：我並不樂於當皇帝，因皇后張娘娘才德色兼茂，若同床共枕，雖死無憾矣！張皇后見生死安危都操縱在魏忠賢之手，便嚴肅地說：我從命也死，不從命也死，若不從而死，可以見列祖宗在天之靈！魏忠賢未敢輕舉妄動。

勸立信王，穩定大局。天啟帝病危時，張皇后勸帝立信王（朱由檢）。天啟帝說：「魏忠賢告訴我說，後宮懷孕的有兩人，日後要是生男，就作為你的兒子，繼承皇位，不也可以？」張皇后苦苦勸諫。天啟帝明白，立即召信王朱由檢入宮受遺命。信王朱由檢先推辭，張皇后從屏風後面走出來，對信王說：「皇叔義不容讓，且事急矣。恐有變，宜遽謝恩。」信王朱由檢於是禮拜接受。天啟帝勖勉信王要當堯舜之君，並說魏忠賢可以擔當大任，又指皇后相託說：「中宮配朕七年，每正言匡諫，獲益頗多。今年少嫠（寡婦）居，良可矜憫，吾弟宜善視之。」信王點頭。這時，皇后使人將信王隱匿在別的宮室。一會兒，皇帝崩。張皇后傳遺詔，命英國公張維賢等迎立信王。信王朱由檢即位，這就是崇禎帝。魏忠賢又設陰謀，在飲食中下毒藥。張皇后預先告誡崇禎帝，要警惕飲食，勿食宮中食。

崇禎帝繼位後，非常感激張皇后。崇禎元年（一六二八年）正月，尊張皇后為懿安皇后，先居慈寧宮，又居慈慶宮，再居仁壽殿。

三　皇后悲局

崇禎帝繼位後，碰到一個先朝天啟帝張皇后的名分問題。按「父死子繼」制，先帝皇后，新帝尊為皇太后；按「兄終弟及」制，先帝皇后不是太后，而是皇后。本朝又有皇后，名分怎樣區分呢？明朝「兄終弟及」的皇帝兩人：一位是嘉靖帝，將先朝正德帝夏皇后尊為「莊肅皇后」；另一位是崇禎帝，將先朝天啟帝張皇后尊為懿安皇后。這在當時是一件莊嚴隆重的大事：「壬午，上熹宗皇后張氏曰懿安皇后，仍居慈慶宮，頒詔於天下。」（《明崇禎實錄》卷一）清朝「兄終弟及」的，只有光緒帝一位，他繼位不久，同治帝皇后阿魯特氏崩，到光緒帝大婚時，這個問題早已不存在。

崇禎帝登極後，撥亂反正，懲治客魏集團，安置魏忠賢到安徽鳳陽守皇陵。六天後，魏忠賢在路上縊死。魏良卿、客氏都被誅殺。客魏雖死，張皇后的厄運並未結束。大太監陳德潤又在施展鬼蜮伎倆。

夫死大悲，詭異計謀。天啟帝二十三歲死，這年張皇后二十一歲。年輕美麗的張皇后，竟然被大太監陳德潤覬覦着想和張皇后成為「對食」。甚麼叫「對食」？明宮沒有兒子的妃嬪、選侍等，思想空虛，生活孤寂，有的以太監為伴侶，叫作「對食」，也叫作「菜戶」。她（他）們的財物相通，如同一家，相親相愛，貌似夫婦。但皇后及貴妃地位尊貴，沒有「對食」、「菜戶」。然而，明朝在二十五歲以前死亡的皇帝，只有天啟帝一人，天啟帝之前皇后沒有年少寡居的。懿安皇后居住在慈慶宮，既年輕，又漂亮，魏忠賢餘黨、總管太監陳德潤暗想：皇后既美，寶物必多。自我欣喜：「此奇貨也！」於是，賄賂皇后身邊侍女，傳話給張皇后說：「皇后盛年，先帝故去，又無兒子，宮監陳德潤，人品清雅，性情謹厚，皇后何不召之入侍，使為菜戶，有所倚託？」一日，皇后晨起，宮人捧着盥洗用具奉侍，陳德潤託言奏事，直到皇后室內。懿安皇后奏報崇禎帝，命貶陳德潤到南京明孝陵去種菜。

崇禎十五年（一六二四年）七月，因崇禎帝太子將納妃，改慈慶宮為端本宮，懿安皇后遷居仁壽殿。懿安皇后的生命結局如何？懿安皇后的命運，同明朝覆亡一樣，都是悲劇結局。

崇禎十七年（一六四四年）三月十八日，李自成軍隊攻陷京師外城。當天，崇禎帝命周皇后自縊死。崇禎帝派宮人到懿安皇后居住的仁壽殿，逼懿安皇后自殺，但事出倉促，宮女心慌亂，資訊未到達。懿安皇后也不知道宮外消息。十九日，天濛濛亮，望見火光。宮內傳言，內城已陷。宮女哭聲如雷，紛紛奔出宮門。懿安皇后要尋劍自刎，下不得手，改為自縊。這時宮女數人，解救皇后，自殺未遂。懿安皇后說：你們好心，卻是誤我！於是，轉移到側室。

宮女等有的出走，有的投河，有的上吊，也有的被污。懿安皇后的結局呢？

突然變天，悲劇謝幕。懿安皇后結局，有不同的說法：《明史·后妃傳》記載：「李自成陷都城，后自縊。」明朝歷史給予懿安皇后的結局是：自縊而死。清順治元年（一六四四年）十月，清順治帝定鼎燕京，命將懿安皇后靈柩與天啟帝合葬於明十三陵的德陵。這是正史的記載。另外還有三說[1]：

一說，懿安皇后逃到民間。相傳有一宮嬪，青紗蒙頭，徒步走出，進入成國公朱純臣的府第。

相傳這位宮嬪就是懿安皇后。又傳京師有舊宮人居住在民間，藏得懿安皇后鳳鞋一隻，長僅二寸許。又有懿安皇后小像一幅，出鬻於市，真不啻天仙也。這位宮人也是懿安皇后。

二說，懿安皇后隨李自成西去。李自成撤出北京西走，有一人說：「我先朝天啟皇后也。」此人被攜帶西行。消息傳佈朝野，京城官民大驚，恨懿安皇后失節。太監有認識的，說：「嘻，此非任妃邪？」後得知此人為天啟帝的任妃，而不是懿安皇后。眾人疑惑，逐漸釋解。

三說，懿安皇后自縊。初，京師將破時，諸太監爭着出城投降，報告后妃宮人的人數、名冊等。李自成的軍師李岩，河南舉人，好仁義，見冊中有張皇后，驚歎道：「此吾同鄉也，素有聖德，安可使爭辱？」京城攻破，亟馳入宮，尋找懿安皇后。李岩找到皇后，命宮女扶皇后坐殿上，九拜而去。當夜，懿安皇后得以從容自縊而死，年三十八。李岩聞訊，置辦棺槨，設靈殿上，拜哭而去。[1]

明天啟帝懿安皇后的一生，既是榮華富貴的一生，

1 《明懿安皇后外傳》，原載《紀曉嵐文集》第三冊，河北教育出版社，一九九一年。

又是悲慘結局的一生。從十五歲到三十八歲，作為皇后和懿安皇后，自然是享盡榮華富貴，卻無法左右自己的命運。懿安皇后幼年淒苦，青年喪夫，盛年遭變，自縊身亡，在悲喜交織的命運中，度過了短暫的一生。

第二十七講　坤寧薩滿

清朝的宮廷，既天壇祭天，又堂子拜天，既汲取儒家文化，又崇奉薩滿文化，在「神界天國」裏，保持着以薩滿文化為滿族的宗教文化，又同各民族不同宗教文化多元並存、協和共處的局面。這是清廷的高明之處，也是清朝定鼎中原統治長達二百六十八年之久的一大玄機。

△坤寧宮不僅是明清兩朝皇后的正宮，而且是清廷薩滿祭祀的宮殿。本講的主要內容是：坤寧改建、坤寧神杆和坤寧祭祀。

一 坤寧改建

坤寧宮作為皇后的正宮，歷史久遠，相沿不變。宮殿的設計與建造，都是圍繞皇后正宮這個基本功能的。但是，清朝遷都北京後，將滿族的宗教傳統、民族習俗，也帶到北京紫禁城裏的坤寧宮。為適應宮廷薩滿祭祀的需要，對原明坤寧宮進行了重大的改建。

坤寧宮東暖閣南炕（林京　攝）

順治十二年（一六五五年），清朝按照盛京（瀋陽）皇宮清寧宮的功能與格局，對原明坤寧宮加以改建，使其既適用於宮廷薩滿祭祀，又具有皇后正宮的雙重功能。具體說，有六點。

第一，正門東移一間。坤寧宮共有九個（實際十一個）開間，其正門由明代居中而改在偏東一間。大家參觀故宮，到交泰殿後、坤寧宮前，首先看到的是巨大條石鋪設的甬道，在坤寧宮門前的正中。原坤寧宮的門有所變動，在偏東一間另開一個門。所以這個實際開關的門已不在正中，就是不在子午線即中軸線上。我們知道，永樂朝建紫禁城時，南北向主要宮殿殿門，都坐落在子午線即中軸線上。但現在看到的，只有坤寧宮的門不在子午線即中軸線上。

第二，祭祀活動場所。坤寧宮內正門開在偏東一間，其東北角隔出一小間，安設煮祭肉的三口大鍋，用作煮祭肉；外設包錫大桌二張，用作殺豬、切肉，並陳設做供品打糕時的用具等；當中空地，為薩滿祭祀時用。經測量：灶台長六百〇二點五釐米，寬二百二十二釐米，高四十三釐米；灶台上三口大鍋西鍋內徑一百〇三點五釐米、深三十三點五釐米，中鍋內徑一百三十二點五釐米、深七十八釐米，東鍋內徑一百一十點五釐米、深七十七釐米；包錫大案長一百四十點五釐米，寬八十六點五釐米，高七十三釐米。[1]

第三，三面連通長炕。正門迤西三間，鋪設西、北、南三面連通大炕，俗稱「萬字炕」。滿族習俗，西為上，北其次，南再次。關外時期，西炕不住人，牆上奉「祖宗板子」，供祭祀用。北炕為大，長輩睡北炕。這種連通大炕的煙道是連通的。關外冬天寒冷，為節省能源，用這種節能型連通火炕。朝祭在西炕，夕祭在北炕。祭畢，帝后召集滿族王公大臣等在南炕吃胙肉（祭神後的豬肉）。

第四，宮前設置神杆。坤寧宮門前東南向，安放石座（有孔），石座上插一根滿族祭神祭天的神杆。

第五，改變窗戶裝飾。按照關外習俗，窗紙糊在窗外。有句東北民諺：「關外有三怪：窗戶紙糊在外，十八歲的姑娘叼着大煙袋，生下孩子房樑吊起來。」可見坤寧宮的窗戶紙糊在窗外是關外的習俗。同時坤寧宮後牆靠西，矗立煙囪，為宮內祭祀煮肉時走煙用。

第六，帝后大婚囍房。坤寧宮東邊兩間暖閣，稱作東暖閣，為雙層，是皇帝和皇后結婚的囍房，也就是民間所說的洞房。

總之，坤寧宮的內部，按其使用功能，分為三個區間：（一）東區，為皇后正宮，又作為帝后大婚囍房；（二）中區，為薩滿祭祀殺豬、煮肉、打糕的操作間和薩滿祭祀場所；（三）西區，為皇家祭神祭天和吃胙肉的場所等。因此，上述建築改造，都具清代皇家宮廷特色：坤寧宮既是愛新覺羅氏皇家祭神祭天的場所，又是帝后大婚的囍房。

1 《閻崇年自選集》第三百二十四頁，九州出版社，二〇一六年。

二 坤寧神杆

坤寧宮院子裏東南方有一個薩滿祭祀的重要標誌「滿洲神杆」，也叫「索羅杆子」。「索羅」是滿語「杆子」的漢語音譯。當年在翻譯這個名詞時，筆帖式（譯者）很聰明，把滿語的音譯「索羅」和漢語的意譯「杆子」結合起來，兼取其長，簡明曉暢。

說滿洲的神杆，要講薩滿文化。薩滿教是滿族，也是女真的原始宗教。「薩滿」是滿語 saman 的漢語音譯。薩滿是巫、祝，為薩滿祭祀的主持者。薩滿教歷史久遠，流行廣泛。滿族的先人，商周的肅慎、秦漢的挹婁、魏晉的勿吉、隋唐的靺鞨、遼金的女真，直到明清的滿洲，都信奉薩滿教。古代東北亞地區，包括中

交泰殿與坤寧宮舊影，可見交泰殿北簷下的神杆（一九〇〇年）

國東北，今俄國遠東地區，日本、朝鮮等，也信奉薩滿教。整個蒙古地區、西域地區等，古代也通行薩滿教。關於我國薩滿文化，《後漢書·東夷列傳》記載：

> 常以五月田竟祭鬼神，晝夜酒會，群聚歌舞，舞輒數十人相隨，蹋地為節。十月農功畢，亦複如之。諸國邑各以一人，主祭天神，號為天君，又立蘇塗，建大木，以縣鈴鼓，事鬼神。

就是説，滿族先民在農曆五月和十月，豎立大木，擊鼓振鈴，邊歌邊舞，祭神祭天。其實，更早的《史記》，也有類似的簡略記載。

這種「神杆」，在清代，皇宮坤寧宮前有，在所有滿族人家庭院的東南角也有。索羅杆子祭祀的是甚麼神呢？有多種説法，如：有的説滿族重騎射，杆子像長矛，祭的是長矛；有的説滿族重採集人參，挖人參用棒槌，祭的是棒槌；有的説滿族重土地五穀，祭的是社稷；有的説杆子指向天，祭的是上天；有的説滿族迷信鬼神，祭的是各種神靈；還有的説滿族為森林文化，祭的神杆是樹木等。雖都有道理，但我認為：滿族神杆祭祀的，主要是神樹，也有祭祀烏鴉的意思。這裏我重點講祭祀烏鴉。為甚麼這樣説呢？我先講一個傳説故事。

滿洲流行一個傳説，就是烏鴉搭救清太祖努爾哈赤的故事。傳説努爾哈赤在逃難時，後面追兵快要趕上，危急時刻，路旁有棵老樹，樹上有個大洞，努爾哈赤急中生智，鑽進樹洞裏，一群烏鴉落在樹洞的邊緣。追兵趕到樹下，四下張望，不見努爾哈赤人影，懷疑是否藏在樹洞裏。但轉念一想：不會！因為樹洞四圍落着許多烏鴉。追兵走後，努爾哈赤從樹洞裏出來，逃過一劫。努爾哈赤後來成了氣候，為答謝烏鴉救命之恩，要後世子孫祭祀烏鴉。滿洲先人視烏鴉為神鳥，為圖騰，為吉祥鳥，為保護神。

從神杆上錫斗（也有木斗）的祭品來看，也是祭祀烏鴉。坤寧宮宰牲的豬腸、肚、骨等，剁碎，加上高粱、穀子等，放到神杆錫斗裏，供飛來的烏鴉食用。故宮的烏鴉特別多，是否同祭祀烏鴉有關？清朝覆亡，神杆停祀，已經百年，為甚麼故宮還有那麼多烏鴉？是不是烏鴉有資訊遺傳基因，就不得而知了。

滿族皇家祭祀神杆，地有多處，形式多樣。其中，最主要的是兩處：一是上文講過的坤寧宮前的神杆，另一是堂子的神杆。我說一下滿族特有的堂子。

堂子，是清朝北京特有的建築和特有的祭祀場所。它從興京（今遼寧省新賓滿族自治縣）赫圖阿拉的堂色（堂子），到盛京（瀋陽）的堂子，再到北京的堂子，一脈相承。北京的堂子，順治元年（一六四四年）九月，建在玉河橋東南，今正義路北口路西，後遷到南河沿南口路東，今貴賓樓飯店所在地。

堂子建築有享殿、八角亭式殿等，外有紅色圍牆。清宮的堂子祭祀，大年初一寅時（寅正四時），皇帝率領宗室王公、滿族一品文武官員等，先到堂子祭神祭天，然後才回到宮裏奉先殿祭祖，再到太廟祭祖，而後到太和殿接受群臣朝拜。堂子祭祀，漢、蒙官員是沒有份兒的。堂子祭祀的神樹，我這裏有一幅《欽定滿洲祭神祭天典禮》中的「神樹圖」，圖中有幾排樹，當中是一棵最為高大的神樹。這棵大樹（神杆）從哪裏來的呢？每年春、秋二季，堂子有立杆大祭，所用的松木神杆，派官兵到今北京延慶縣山中去砍伐。當時的生態環境好，山裏老虎很多，砍伐之前，先要祭虎，然後會同地方官，砍取松樹兩棵：高二丈（約六米，相當於兩層樓高），圍徑五寸，樹梢留九節枝葉，製成神杆（一根堂子用，另一根坤寧宮用）。用黃布包裹，運至堂子、坤寧宮備用。立杆大祭前一天，將神杆立在堂子、坤寧宮的石座上。滿族祭祀神樹是滿族及其先民森林文化的一個形象例證。

三 坤寧祭祀

坤寧宮的薩滿祭祀，有過年大祭、春秋祭、四季祭、月祭和日祭（朝祭、夕祭），一年三百六十五天，天天都有祭祀。大祭時，在交泰殿後、坤寧宮前，東面為牛，西面為馬，這重現了滿族亦耕亦戰的遺風。祭祀後的馬、牛，不宰殺，愛護耕牛、戰馬，交會計司賣出，所得銀錢買豬，備以後再用。

常祭：西炕供朝祭神位，供奉釋迦牟尼佛、觀世音菩薩、關帝等，時間在寅（寅正四時）、卯（卯正六時）；北炕供夕

坤寧宮薩滿祭神處

祭神位，供奉穆哩罕神（滿族神）、畫像神、蒙古神等，時間在未（未正十四時）、申（申正十六時），用豬，並設香碟、淨水及黃米糕。祭祀時，薩滿誦神歌，致祝詞，奏三弦，彈琵琶，擊手鼓，振腰鈴。

坤寧宮的祭祀，將滿族薩滿教原始、俚俗、粗獷、煩瑣的祭祀禮儀，搬進皇家宮殿，戴上宮廷祭祀的桂冠。坤寧宮在祭神時這裏是宰豬、打糕、釀酒的場所。如祭祀用的活豬，抬到坤寧宮內炕沿旁，用熱酒灌豬的兩耳，豬被燙得嗷嗷叫，這就叫作「領牲」，就是神靈領受、知道了。同時，祝禱，奏樂。然後將活豬放在包錫的大案子上，宰殺，接血，去皮，節解，煮在大鍋裏；豬的頭、蹄、尾燎去毛後，也煮在大鍋裏。將煮熟的豬肉，切成方塊，叫作「胙肉」，擺上供桌，舉行祭祀禮儀。坤寧宮祭祀用多少豬呢？平常每天朝祭用豬二頭，年祭一次用三十九頭豬，一年大約共用豬一千餘頭，每頭豬銀十一兩，合一萬五千多兩銀子（《內務府奏銷檔》）。還有打糕，做酒用的黏米、黃米，每年約七百餘石（《欽定總管內務府現行則例》）。做祭酒、祭糕時，取用玉泉山的泉水。

坤寧宮大祭時，皇帝和皇后以及宗室王公、文武一品官員，還有蒙古貴族以及王、貝勒、大學士、六部尚書等，到坤寧宮吃祭神後的「胙肉」。諸大臣穿蟒袍補服，西向神幄，行一叩首禮；再向皇帝，行一叩首禮。而後，皇帝在南炕升座，大家坐在炕上，膳房大臣等捧着前肘、後肘等肉，分盛各盤，呈送上來。皇上自用御刀割肉，諸臣也自割肉。食畢，賜茶，各行一叩首禮。皇帝還宮，諸臣以次退出。當晚，各賜胙肉、打糕，攜帶回家。（《嘯亭雜錄》）皇后則於東暖閣率貴妃以下，同受胙肉，分別食用。

祭祀時，由女薩滿主持。主祭女薩滿，食三品俸，享受相當於現在副部級的待遇。每日清

晨入神武門，到坤寧宮禮神。（《清宮詞》注）

乾隆帝繼位那年的臘八，在坤寧宮祭神。乾隆帝同王公大臣等參加祭祀，並進胙肉。這次早膳是怎樣進行的呢？有檔案，記如下。

用金錠膳桌，擺祭神肉一品，雜碎一品（大銀盤），祭神肉片一品（銀碗），肉絲湯一品（二號黃碗），銀葵花盒小菜一品，小菜三品（銀碟），粥菜四品（黃鐘），金匙、箸、刀子、大銀盤一件，擺畢，呈進。隨送粳米膳一品，臘八粥一品（俱三號黃碗），乾濕點心二盒（俱賞食肉大人們）。王子大人食肉，俱用銀盤烏木箸。皇后、妃、貴人等位，在東暖閣進肉，用照常膳桌，俱用粥菜，按位分碗。（《宮中乾隆元年至三年節次照常膳底檔》）

參加坤寧宮薩滿祭祀吃胙肉是一種資格和待遇。坤寧宮食胙肉，唯王、貝勒等及一品大臣，才有資格列名被請（個別單獨奉派例外）。二品官及值南書房翰林有時也可能參與。如道光十二年（一八三二年），乾隆帝第八子儀親王永璿，八十八歲，免其進坤寧宮吃胙肉，每次頒賜給胙肉一份。又如，阮元退休在籍（今江蘇省揚州市儀征），道光帝派人送過年坤寧宮祭祀胙肉一方，阮元「謹叩頭祗領」。再如曾國藩，同治九年（一八七〇年）十月初一日，奉派入坤寧宮吃胙肉。寅正（四時）一刻入朝，卯正（六時）二刻傳入乾清宮，與眾王大臣站着等候。三刻入，到坤寧宮。皇帝已坐西南隅炕上，背靠南窗，北向而坐。各王大臣依次面向西牆神幔而坐。以南為上，第一排南首為惇王奕誴、恭王奕訢，以次而北。第二排又自南而北，曾國藩坐第五排的南面第一位。初進小菜、醬瓜之類一碟，次進白肉一大銀碟，次進肉絲泡飯一碗，

次進酒一杯，次進奶茶一杯。約二刻許，退出。（《曾文正公大事記》）

滿族薩滿祭祀習俗，士大夫之家歲末普遍舉行，延請賓客吃胙肉。客到之後，在炕上設筵，擺着鹽、醬、蒜、韭等作料，白肉切片，放在盤裏，一道一道地進，客人以多食為吉（這不符合現代健康飲食）。通宵達旦，天明方散。

光緒時，坤寧宮祭神完畢，慈禧太后坐北炕，光緒帝坐南炕。如慈禧太后不參加，則光緒帝坐北炕。被宣派的諸大臣魚貫而入，光緒帝跪向慈禧太后前一叩首，諸位大臣再向光緒帝前一叩首，然後在炕上各就各位。內務府大臣捧盤肉，分到慈禧太后和光緒皇帝御案前進上，諸臣同時行一叩禮。分給諸臣胙肉、鹹菜和神糕，也都一叩首謝恩。然後，進奶茶。食完退出。坤寧宮清廷薩滿祭祀，延續到民初溥儀出宮。

在坤寧宮裏，還祭祀灶神。古代社會，男人主外，女人主內，乾、坤二宮，也是如此。皇后雖然不做飯，但祭灶神還是在坤寧宮。每年臘月（十二月）二十三日，坤寧宮祭灶。是日，宮殿總太監率領各首領太監等，在坤寧宮設供案，奉神牌，備香燭、燎爐、拜褥，御茶房、御膳房設供獻二十三品，黃羊一隻。宮殿總太監奏請皇上到坤寧宮佛前、神前、灶君前，拈香行禮畢，再請皇后行禮畢，還宮。（《宮中現行則例》）

坤寧宮祭，逐漸鬆弛。雍正年間，有太監竊祭肉出賣的事情。清末更甚，太監偷出的祭肉，賣到西四飯館。「砂鍋居」的砂鍋白肉，早年就是從坤寧宮偷出賣掉的祭祀豬肉做的。民國年間，「砂鍋白肉」成為京城一道名菜，相沿至今，頗為有名。

總之，清朝的北京宮廷，既天壇祭天，又堂子拜天，既汲取儒家文化，又崇奉薩滿文化，在「神界天國」裏，保持着以薩滿文化為滿族的宗教文化，又同漢族等各民族不同宗教文化多元並存。這是清廷滿、漢文化統合的一個高明之處，也是清朝定鼎中原以小制大、統治長達二百六十八年之久的一個原因。

第二十八講　養心帝居

雍正帝是一位勤政務實的君主，他不住乾清宮，而住養心殿——將養心殿作為理政和居住的宮殿，不僅表示孝心，而且講究實用，這是雍正帝一個明智的選擇。

△養心殿，不只是一座宮殿，而且是一個宮殿區。我曾多次去故宮參觀、考察、學習和研究養心殿的建築與佈局，歷史與人物，文物與故事，現把眼所見、耳所聞、手所量、心所想的內容，介紹給大家，同大家分享。

一 雍正搬家

我腦子裏長久以來有一個疑問：雍正帝為甚麼不從雍親王府搬到乾清宮居住、生活和辦公，而要搬到養心殿呢？

永樂帝肇建紫禁城後，明朝十四位皇帝，都是以乾清宮為正宮的。養心殿雖是一座獨立封閉的庭院，但不是重要的宮院。《明史》裏沒有出現「養心殿」字樣。在《明實錄》中，《明世宗實錄》僅出現有關修繕養心殿的兩條簡略工程記載，《明神宗實錄》中也僅出現一條萬曆帝因乾清宮火災而搬到養心殿暫住的記載。清朝的順治帝和康熙帝，也都是以乾清宮為正宮的，而把宮廷造辦處設在養心殿。還有，康熙朝西方耶穌會士到皇宮，在南書房不行，因為那裏屬於內廷。康熙帝就選一個既不在後宮範圍，又離後宮不太遠的地方安置這些耶穌會士，這個地方就是養心殿。

然而，唯獨雍正皇帝，剛一上台就宣佈他要搬到養心殿去住。在明清皇宮裏的二十四位皇帝，從雍正帝開始，改在養心殿治理國家和日常起居，直到宣統帝結束。清朝皇帝有個「家法」，也就是有個傳統，不能輕易地改變祖制。但是，雍正帝一上任，就把他祖父順治帝、父親康熙帝的祖制和家法給改了！這是為甚麼呢？

問題的答案，有兩個版本：

第一個是民間的山寨本。山寨本說：胤禛在他父親康熙帝病重時，進了一碗含有毒藥的人參湯。康熙帝在病榻上，把皇四子胤禛送來盡孝心的人參湯，咕咚咕咚地喝了，一會兒便從暢春園清溪書屋裏，傳出了哭喊聲：「上崩！」當天夜裏，京城九門、皇城七門、宮城四門全都戒嚴。胤禛從京城西郊的暢春園趕到城裏，大行皇帝康熙帝的遺體，由暢春

《雍正讀書像》

園清溪書屋，連夜運到紫禁城乾清宮，就停靈在這裏。皇四子胤禛在靈前即位，這就是清朝的第五任皇帝雍正帝。關於這天夜裏發生的故事，戲曲、小說、評書、傳聞、電影、電視劇、網路等，都在講，也都在演。於是，一種說法廣泛流傳：雍正帝把他生身父親康熙帝毒死，心裏有愧，夜裏怕鬼，所以不敢在乾清宮住，而搬到養心殿住。這個說法富於戲劇性，但沒有史實依據。

第二個是朝廷的官方本。康熙帝賓天的這一夜，胤禛睡在哪裏？我想：他肯定是徹夜未眠。是因悲痛，是因緊張，還是因繁忙？可能都有。這時，他的兄弟們，未得特許，禁入皇宮。然而，胤禛總要睡覺，總要休息，在甚麼地方呢？遵照古禮，雙親故去，胤禛要住在「苫次」。「苫」是草席，「次」是地方。胤禛以時為造辦處的養心殿外為苫次，守孝二十七天後，應搬到乾清宮住，但他沒有。雍正帝解釋說：「朕持服二十七日後，本應居乾清宮。朕思乾清宮乃皇考六十餘年所御，朕即居住，心實不忍。朕意欲居於月華門外養心殿，着將殿內略為葺理，務令素樸，朕居養心殿內，守孝二十七個月，以盡朕心。」（《清世宗實錄》卷一）到十二月初九日，雍正帝行完大祭禮，就從守喪的苫次，正式入住養心殿。

反過來說，如果雍正帝是因害死皇父康熙帝而不敢、不想在乾清宮住，而乾隆帝不存在這些糾結，應搬回乾清宮住，但他也沒有；同理，嘉、道、咸、同、光、宣六帝，也都沒有搬回乾清宮住！

從此，養心殿就成為清朝定都北京後，十朝中有八朝實際上的政治和重心和生活中心。

雍正帝是一位勤政務實的君主，他不住乾清宮，而住養心殿，將養心殿作為理政和居住的宮殿，不僅表示孝心，而且講究實用，這是雍正帝一個明智的選擇。為甚麼這樣說呢？我以養心殿格局為例，略作說明。

二　殿區格局

雍正帝之所以選擇養心殿作為理政和居住的中心，因為它有優勢和特點。

其一，位置適當。養心殿位於西六宮南面，乾清宮西面，一殿一宮，東西相對，其間隔着一條南北向的西一長街。養心殿與乾清宮，有乾清宮西牆的月華門，養心殿東牆的遵義門，東西相望，為養心殿與乾清宮出入的通道。遵義門外南側，有軍機處，再南有軍機章京房，是輔弼皇帝理政的辦事機關，還有御膳房，是帝后的廚房。這裏適合作為皇帝理政與居住的宮殿。

其二，院落緊湊。對雍正帝的理政和居住來説，千重要，萬重要，實用安全最重要。養心殿區比後三宮區，建築更為緊湊，圍以高牆，兩重大門，防守嚴密，既實用，又安全。養心殿區面積不大，南北長六十三米，東西寬八十米，共五千〇四十平方米。分為三個院落：外院、前院和後院。

外院，在遵義門裏、養心門南，是一個南北約十四米的東西狹長小院。宮廷侍衛，嚴加把守，比較靜肅，也較安全。

前院，進了養心門，是養心殿庭院。院內主體建築是養心殿，面闊九間。

後院，主要是後寢殿和東西圍房各六間。乾隆朝纂修的《日下舊聞考》記載：「養心殿後為穿堂，為二層樓。」今已不見二層樓，因後來做了改建。養心殿區的前殿，其「辦理庶政，召對引見，一如乾清宮」（《國朝宮史》卷十三），後殿又似後宮。

其三，亦殿亦宮。養心殿區格局是前殿後宮，基座呈「工」字形。養心殿是皇帝處理政務的殿堂，後寢殿是帝后寢居的後宮。似可以說，養心殿院區是紫禁城宮殿的一個縮影，或者說是一個袖珍的紫禁城。

養心殿坐北朝南，殿為九間，正中三間，當陽正座，上懸「中正仁和」匾額，為雍正帝御書。養心殿的殿名，含義豐富深刻。君子養心，中正仁和。這既是雍正皇帝追求的理念，也是中華傳統文化的精髓。寶座的東、北、西三面，擺列書架、珍玩。正殿東壁為乾隆帝御製《養心殿銘》，西壁為御製《題董邦達溪山清曉圖》。殿堂高雅、華貴、莊重、靜謐。正堂兩側，為

養心殿（林京　攝）

東暖閣和西暖閣。東暖閣，後來是慈禧太后垂簾聽政處，後面要講；西暖閣匾額為「勤政親賢」，這確是君王的為政之鏡：既勤政務，又親賢臣。親賢臣，退佞臣，道理簡明，做到卻難。再西為三希堂，下文會述及。殿前中西部，南窗外抱廈，夏季狂風驟雨，冬季朔風暴雪，都淋不濕也打不透窗戶紙；還有，殿前侍衛值班，遠離殿的門窗，更安全，更私密。這裏有個小故事：乾隆朝，劉於義（江蘇武進人），年七十餘，到養心殿奏事，跪的時間久了，起立時誤踩衣袂，摔倒遽死。（《清史稿．劉於義傳》卷三百七）

後寢殿，坐北朝南，現在看到的格局是：中為五間，東次間、梢間五間，西次間、梢間也五間，合為十五間。養心殿和後寢殿，前後兩殿間有一穿堂，四面圍合，呈封閉式，在穿堂行走，夏不怕風雨暑熱，冬不怕冰雪嚴寒，很方便，也安全。兩殿之間距離，近到難以想像。第一次我請故宮博物院黃希明先生幫我量，回答是近五米，我不信。第二次我請故宮博物院劉素玲女士幫我量，回答是三點一米，我愕然！第三次是我親自帶卷尺和陳亮去故宮測量：前殿後牆與後殿前牆的距離是四點八米，穿堂內前殿後門到後殿前門的距離是三點一米。而後單霽翔院長等陪我再次實測，經過四次反覆測量，最後確定：養心殿後門到後寢殿前門，實際距離是一點八米。特別是我親自參與測量，我才相信這一點八米的距離是真的。這條穿堂，從後寢殿前門，到養心殿後門，通俗地說，從「宿舍」到「辦公室」的「路程」，只有一點八米。皇帝「上下班」真是太近便了。這比從坤寧宮到乾清宮，從乾清宮到乾清門的距離真是近得太多了！

其四，陰陽失衡。養心殿原作為宮廷造辦處，其建築與結構是平衡的，而加以改建的後寢宮格局，作為朝廷中樞則是不平衡的。養心殿與後寢殿之間的距離太近，陰陽不平衡。我聯想到後三宮，在乾清宮與坤寧宮之間，建一座交泰殿，這就平衡了後三宮中乾清宮與坤寧宮的陰陽關係。養心正殿九間與後寢殿十五間，也是「陰盛陽衰」，陰陽不平衡。所以，養心殿的正殿與後殿缺乏陰陽平衡關係。事實上，自雍正帝遷居養心殿後，出現皇子繼位恐慌。雍正帝四十五歲繼位後子嗣不旺，臨終前有繼位資格的只有皇四子弘曆（乾隆帝）和皇五子弘晝二人。乾隆帝臨終前有繼位資格的只有三位皇子。嘉慶帝、道光帝兒子不多，咸豐帝只有一子，同、光、宣則無子女。而同、光、宣三朝，出現太后干政現象，也是陰陽不平衡。《周易》說：「一陰一陽之為道，繼之者善也。」（《易經．繫辭上》）養心殿改建後的建築格局與實用功能，不相匹配，陰陽不和。這恐怕是雍正帝所沒有想到的。

三　帝后寢宮

養心殿的後寢殿，實際上是雍、乾、嘉、道、咸、同、光、宣八朝的後宮所在。養心殿後寢殿的東圍房和西圍房，在某種意義上說，就像是後三宮兩側的東六宮和西六宮。

養心殿的後寢殿，五間，正中為大廳，設皇帝寶座。東暖閣和西暖閣，各為兩間，分別相當於民居的一室一廳。東暖閣的臥室和西暖閣的臥室，各安龍床，晚上都放下帷幔，生人不知皇帝睡在哪張床上，以防不測，確保安全。

後寢殿的兩側為東耳房的體順堂和西耳房的燕喜堂，東西對稱，各為五間。在同治和光緒時期，因皇帝年幼，體順堂住的是慈安太后，燕喜堂住的是慈禧太后。後寢殿的兩廂是東圍房和西圍房，東西相對，各為六間。這六間的格局，很有意思，用今天的話來說，就是每一室一廳（兩間）為一套，東圍房是三套房間，西圍房也是三套房間，東西圍房可以同時住六位妃嬪。

圍房是做甚麼的？是妃嬪侍寢的值房。甚麼是侍寢？就是被皇帝晚上召來寵幸。有人問：電視劇裏看到皇帝到妃嬪房間裏過夜，幹嗎還要圍房？實際上，清朝皇帝晚上是不到妃嬪宮裏過夜的。為甚麼呢？為了安全。

妃嬪在自己的東西六宮，怎麼到養心殿圍房來的？一般地說，在晚飯後。晚飯在清宮一般在未時（下午兩三點）。這個習慣可能同他們祖先關外漁獵生活有關。那時的女真人，上山狩獵或採集人參，天濛濛亮，吃過早飯，就上山打獵，或挖人參等，辛勞一天，過午回家，就吃晚飯。冬天關外黑得早，下午五六點鐘就黑天了。他們辛勤勞作，習慣早睡早起。清帝晚上睡得早，早上也起得早。如康熙帝等早晨寅時，就是早上四點左右就起床，晚上也睡得很早。后妃起居，也要隨同。

妃嬪侍寢，先被通知，梳妝打扮，來到圍房，等待諭旨，前去同房。怎麼確定誰侍寢呢？根據記載，皇帝晚飯後，太監將寫有妃嬪名字的綠頭牌，呈遞到皇帝的面前。皇帝根據自己興趣，將要侍寢妃嬪的綠頭牌翻過來，表示要這位妃嬪來同房。

沒被點到的妃嬪怎麼辦？只有在圍房寂寞孤燈相伴，或者念經消磨時間。大家注意，每所圍房都有佛龕，供妃嬪拜佛念經用。她們夜裏在哪兒？史書沒有明確記載，有人說回宮裏自己房間過夜，有人認為晚間宮門已關，可能要到第二天早上才可以回宮。

《清朝野史大觀》說：侍寢的妃嬪先沐浴，熏香，化妝，然後不穿衣服，用白綾裹着，由太監背到暖閣龍床上。有的先生在書中斷言：這不可能！說不可能，也可能，因為誰也沒有看到；說可能，也不可能，因為誰也沒有看到。總之，宮中秘密，看到的人沒寫，寫的人沒有看到。

都是以聞傳聞，真假莫辨。

有人說：皇帝到後宮，有那麼多宮女陪伴。其實，皇帝是難得見到宮女的。在皇帝身邊的，都是太監，沒有宮女。宮女只有偶然機會才可能被皇帝寵幸，沒有懷孕，也就罷了；如果懷孕，生下子女，皇帝認帳，才有名分。

有人說：皇帝看不到幾個女人，周圍都是太監和幾個后妃，很可憐。

有人問：妃嬪整夜和皇帝睡在一起嗎？不是的。妃嬪受寵幸後，就要離開。為甚麼？可能因為：第一，為了安全。如果皇帝睡了，而妃嬪沒睡，起了歹意，謀害皇帝呢！第二，為了健康。妃嬪離開之後，皇帝可以安靜地睡眠休息。第三，為了工作。皇帝要上早朝（懶惰皇帝除外），天亮四點左右要起床。妃嬪不離開，卿卿我我，纏纏綿綿，會誤了早朝的。

有人問：雍正帝有個兒子叫弘瞻嗎？有的。弘瞻與允禮、妃子（甄嬛）、雍正帝之間的四角關係真實歷史是怎麼回事？是和電視劇裏的弘瞻一樣的嗎？

先說允禮。果親王允禮真有其人，是康熙帝第十七子，比雍正帝小十九歲。雍正帝四十五歲即位時，允禮二十六歲，為果郡王，管理藩院事（負責民族等事務）。兩年後，諭旨：「果郡王實心為國，操守清廉，宜給親王俸。」享受親王待遇，不久晉親王。後管戶部，兼管戶部三庫，是個肥缺。雍正帝臨終前，遺詔果親王輔政。乾隆帝即位後，命允禮總理事務，賜親王雙俸，免宴見叩拜。果親王熟讀詩書，擅長書法，其後裔愛新覺羅．啟驤先生家藏果親王的一幅錄「元人句」的墨跡：

倚杖立湖曲，夕陽明遠嶼。
隔水見招提，遊興浩難阻。
輕舟蕩輕波，魚吹浪花吐。
四望山意佳，推篷吟復佇。
元人句　果親王寶（印）

因允禮體弱多病，命在府邸辦公。乾隆三年（一七三八年）薨，四十二歲，乾隆帝親臨祭奠。允禮沒有兒子，應十六阿哥莊親王允祿等請求，以雍正帝第六子弘瞻過繼為後，主要為接續香火並解決郡王待遇問題。這個弘瞻不可能是允禮與雍正帝妃嬪的私生子。

次說弘瞻。弘瞻在《清史稿．諸王傳》裏有記載，是雍正帝第六子，生於雍正十一年（一七三三年），母為貴人劉氏，後晉謙妃。雍正帝死時，弘瞻三歲。乾隆三年（一七三八年），六歲的弘瞻，出繼給康熙帝第十七子果親王允禮為後。弘瞻比其四哥弘曆小二十二歲。弘瞻善詩詞，雅好藏書。他對屬下管教很嚴，經常晨起披衣巡視，遇不法者立杖之，故無敢為非者。節儉善居積。因圓明園九州清晏失火，弘瞻後到，與諸皇子談笑露齒，乾隆帝不高興，定其罪，降為貝勒，免除一切差使，就是免去一切職務。從此以後，家居閉門，心裏抑鬱，兩年後病重。乾隆帝到王府看望，弘瞻在臥榻間叩頭自責。乾隆帝握着他的手，沉痛地說：以你年少，所以稍加懲戒，哪能愧恧（慚愧）至此呢！恢復郡王，不久即死。（唐邦治《清皇室四譜．皇子》卷三）

再說妃子。作為雍正皇帝妃子，同御醫，或同小叔子允禮私通，絕不可能，絕無此事。御醫給妃嬪看病，須兩人同行，把脈時，隔着帷幔，不能用手直接把脈。據明清史的后妃傳記載，明清兩代沒有后妃到尼姑庵去修行的事，這種曾是唐朝武則天的故事，移花接木，安到清朝，一笑而已，不必當真。皇帝的兄弟一般是見不到妃嬪的。

我總說，戲劇、電視劇是故事，求生動，講熱鬧，不是歷史。看歷史電視劇可以增加歷史知識，切不可把歷史電視劇當作真實歷史。

第二十九講　養心新政

雍正帝十一道諭旨，主要指向地方官吏，這是正確的、及時的，但缺憾的是，雍正帝沒有對王公大臣，沒有對軍機大臣，沒有對內閣六部，沒有對八旗官員發佈嚴諭，加以整飭。這給後來上層昏庸腐敗，留下了一道縫隙。而後，乾隆朝出現和珅，晚清出現奕劻，清朝政權從根上爛了，無藥可醫，走向死亡。

△ 從雍正元年（一七二三年），到宣統三年（一九一一年），近二百年間，養心殿替代乾清宮，實際成為清朝最高權力中心——資訊中心、決策中心、指揮中心。本講重點是雍正帝的治官、集權和改革。

一 雍正風暴

雍正帝有一方壽山石閒章，上面刻着「為君難」三個篆字。壽山石因最早產自福建福州壽山地區而得名，是中國特有的名貴彩石，被譽為我國傳統「四大印章石」之一。雍正帝這方「為君難」章，既道出其皇位得來之難，也道出其坐穩皇位之難，還道出其治國理政之難。總之，告訴人們一個資訊，就是「為君難」！雍正帝衝破為君之難，推行改元新政，刮起吏治風暴。

整頓吏治。雍正改元，政治一新。雍正帝在皇父死後七天，御太和殿，頒佈即位詔書，正式行使皇帝職權，隨後搬到養心殿居住。當時雍正帝四十五歲，正是人生的壯年，同時他學識廣博、經歷豐富，又性格堅毅、勤政任事，決心以剛猛的手段，振刷先皇六十餘年積累的頽風。雍正元年（一七二三年）正月初一日，皇帝沒有休假，不搞慶賀大典，卻在養心殿一連發出十一道治吏諭旨：一諭總督，二諭巡撫，三諭督學，四諭提督，五諭總兵官，六諭布政司，七諭按察司，八諭道員，九諭副將、參將、遊擊，十諭知府，十一諭知州、知縣。從省到縣各級文武官員，告誡他們：民為邦本，本固邦寧。固邦本者，首在吏治。警告所有官員：民脂民膏，朘剝何堪！蔑視憲典，三尺具在！（《清世宗實錄》卷三）「三尺」是甚麼意思呢？有兩種解釋：一是指法律，「以三尺竹簡書法律」；二是指刑具，「三尺木之刑」，就是夾棍，為最重之刑。雍正帝告誡官員：如果違法亂紀，有法律在，有嚴刑在！

其一，諭總督、巡撫：應以實心、行實政，但今之居官者，釣譽以為名，肥家以為實。今或以逢迎意旨為能，以沽名市譽為賢（就是作秀），甚至暗通賄賂，私受請託；樸素無華、敦尚實治者，反抑而不伸。藩庫錢糧虧空，多至數十餘萬。屬員缺出，巡撫操其權，下屬鑽營囑託，以缺之美惡，定酬賂之重輕，情同行劫。而告休歸田之官員，反徇私吹索，藉端陵踐。吏治不清，民何由安？

其二，諭布政司、按察司、督學：今錢糧火耗，日漸加增，重者每兩加至四五錢，民脂民膏，朘剝何堪！各省庫虧空，動盈千萬，是侵是挪，總無完補。州縣案件，多鍛煉口供。至納賄出入人罪，於法尤重。戕人之命，破人之家，以潤屋奉身。今官員們名實兼收：所謂名者，官爵也；所謂實者，貨財也。

其三，諭提督、總兵官、副將等官：當茲海宇承平，士卒狃（因襲）於宴安，不以兵革為事，相沿日久，營伍漸弛。虛名冒餉，侵漁扣克，久懸兵缺，以恣侵漁；克減額糧，以肥囊橐。不肖將弁，不勤訓練，冒虛糧而兵無實數，克月糧而兵有怨心，上虧天家之糧餉，下朘窮卒之脂膏。國法森嚴，不爾貸也！

其四，諭道員：各地專司道員，首當潔己惠民。糧道，扣克運費，苦累運丁，營私煩擾，貽害百姓，何所底止！河道，而於工程，漠不經意，一遇坍潰，誰之咎耶！鹽道，需索商人，巧立名色，誅求無已！驛道，凡驛遞馬匹，假冒開銷；歲修船隻，虛浮不實，其或因循不改，朕必置之重法。

其五，諭知府、知州、知縣：漢宣帝曰：「太守，吏民之本也。」近聞州縣火耗，任意加增，罔知顧忌。以小民之脂膏，飽貪吏之溪壑。州縣官賢，民先受其利；州縣官不肖，民先受其害。恃才而多事，諂媚上司以貪位，任縱胥吏以擾民！絲毫顆粒，皆百姓之脂膏。增一分，則民受一分之累；減一分，則民沾一分之澤。王法森嚴，決難輕貸！

雍正帝在新年元旦發出的十一道諭旨，標誌着雍正朝出現新君新元新政的新局面。雍正帝還聲明：他不能像皇父那樣寬容，他要向貪官污吏開戰，甚至對主持會考府的愛弟怡親王允祥說：「爾若不能清查，朕必另選大臣。若大臣再不能清查，朕必親自查出。」雍正帝推行新政的決心，躍然紙上，鏗鏘有聲。[1]

追查虧空，雷厲風行。在中央特設專門衙門會考府。這項清查，既不「以驛傳諭旨而落實諭旨」，也不「以宣示諭旨而落實諭旨」，卻是動真格的。雍正帝命怡親王允祥等先從中央掌管財政和稅務的戶部查起，發現該部庫銀虧空二百五十餘萬兩（《清世宗實錄》卷

1 明清公文形式，主要有：（一）題本，向皇帝奏事的文書，通過通政使司進呈後，先經內閣擬出處理意見，如「該部知道」、「知道了」，經皇帝允准；內閣以紅筆批於題本表面，各遵照執行。明中後期，此事漸由太監掌握，以致危及皇權，清後來改題本為奏本，此制遂廢。（二）奏本，明代規定：各衙門凡公事用題本，蓋官印；個人私事用奏本，不蓋印。清乾隆時奏本與題本合一。（三）奏摺，始於康熙初，因文件用折疊形式上奏，故稱奏摺。有資格上奏摺的官員開始人數很少，後大體省部級、軍隊軍級、日講起居注官、科道言官等。「奏摺從繕寫、裝匣、傳遞、批閱、發還、回交，都有一定的程式。奏摺寫好後，裝入封套，外包黃紙，置於匣內，匣外加銅鎖，鎖口貼封條；或置於奏夾內，奏夾兩端系以細繩，再以黃綾包袱包裹；其摺匣、銅

二十六）。雍正帝令以前歷任尚書、侍郎、司官、堂官，賠償一百五十萬兩，另一百萬兩則由戶部逐年彌補。在清查中發現有貴胄如康熙帝第十子、敦郡王允䄉，康熙帝第十二子、履郡王允祹也涉及虧空案，雍正帝均不予寬貸，用變賣或充公他們家產來作賠償，半點也不手軟。

地方虧空，嚴肅清查。命將責任官員革職抄家補賠。命貪官不得留任原職分期補還虧空，因為這樣他們會更加搜刮民脂民膏。命不准地方官與百姓代貪官清償虧空，為防止貪官與紳衿勾結，等貪官複職後再合夥科斂。命將自殺身亡的貪官，由其子弟家人賠補，不能讓貪官「以貪婪橫取之貲財，肥身家以長子孫」，否則「國法何在？而人心何以示儆？」由於雍正帝的嚴猛作風，各衙門虧空逐漸補足。

對內務府的稽查與監督，雍正四年（一七二六年），在內務府設監察御史（俗稱內御史衙門），職責是稽查內務府所屬七司三院暨上三旗佐領管下的事務（《雍正大清會典》卷二百二十三）。對內務府這個直屬皇帝的特殊機構的特殊人員，加大督查力度，每月末都要進行奏報。該衙門設在西苑陟山門（今北海公園東門外）。

鎖、鑰匙、奏夾、包袱等，均由內廷頒賜」（馮明珠《清宮檔案叢談》）。由本官或差家人等直送內奏事處，再由內奏事處太監進呈皇帝。皇帝閱後，做出紅色批示即朱批奏摺，交本官或有關機構辦理。

雍正帝對粉飾太平、拍馬逢迎的官員加以指責。甘肅巡撫石文焯在旱災期間偶逢小雨就上奏說「可望豐收，此皆我皇上敬天勤民之所致」云云；朱批道：「經此一旱，何得可望豐收？似此粉飾之過言，朕實厭觀！」

顯著效果。上述十一道諭旨，有氣勢，有新意，有膽量，有魄力，可謂雷厲風行，振聾發聵。頒佈之後，所有官員，有所警醒，有所震動，一時吏風，敬謹勤慎，貪腐惡習，大為收斂。突出表現在：

第一，政治上，康熙帝晚期，強調做仁君，行仁政。但是，官員懶散，工作拖遝，不求進取，但求無過。這種頹風，得到扭轉。

第二，財政上，扭轉康熙晚期財政虧空局面，財政大有節餘，為乾隆前期發展，打下很好基礎。

第三，吏治上，雍正帝整飭官風，從朝廷到地方，從總督到知縣，都不敢掉以輕心。

歷史遺憾。雍正帝十一道諭旨，主要指向地方官吏，這是正確的、及時的，但缺憾是，雍正帝沒有對王公大臣，沒有對軍機大臣，沒有對內閣六部，沒有對八旗官員，發佈嚴諭，加以整飭。這給後來上層昏庸腐敗，留下一道縫隙。而後，乾隆朝出現和珅，晚清出現奕劻，清朝政權從根上爛了，無藥可醫，走向死亡。

雍正帝在養心殿理政，設立了一個重要機構，即軍機處。

二 設軍機處

作為改革君主的雍正帝，為加強皇權，採取許多措施，如懲治貪官，整肅吏治，清查倉庫，攤丁入畝，改土歸流，秘密立儲等。其中，建立了一個前無古人的重要機構軍機處。

為甚麼要設立軍機處呢？雍正四年（一七二六年），因西北用兵，為緊急處理軍務，考慮「以內閣在太和門外儤直（官吏連日值宿）者多慮洩漏事機，始設軍需房於隆宗門內」，選內閣中書之謹密者入直繕寫，以期「入直承旨，辦事速密」。以怡親王允祥、張廷玉、蔣廷錫入值。後改名軍機房，再改名軍機處。軍機處有官無吏，收發檔，登記檔案，都由軍機章京處理。皇帝召見軍機大臣，太監不得在側。他們辦事的值房，嚴密防範，即使是諸王

軍機處（林京　攝）

大臣，沒有皇帝「特旨」也不准到軍機處值房。值房的簾前、窗外、階下，均不許閒人窺視。

張廷玉受命定軍機處規制：諸臣陳奏，常事用疏，自通政司上，下內閣擬旨；要事用摺，自奏事處上，下軍機處擬旨，以朱筆批發。從此，內閣大權移到軍機處，大學士必兼軍機大臣，才能參與政事，日必召入對，承旨，平章政事，參與機密。（《清史稿．張廷玉傳》卷二百八十八）因此，利用軍機處，清朝皇帝得以輕而易舉地控制中樞機要，不使皇權旁落，也杜絕了明朝宦官專權的弊端。

軍機處是多大的機構呢？軍機處設首席軍機大臣一人，軍機大臣一般五至七人，少時二人，多時九人。召見時，首席軍機大臣以後，不分滿漢，而按入值時序為先後。據《清代職官年表》統計，清朝軍機大臣，共有一百四十七名，其中滿族

軍機處內景（林京　攝）

六十三人，蒙古族十一人，漢七十三人。在內閣大學士、六部尚書、侍郎等中挑選。下設軍機章京，規定滿員十六人、漢員二十人，共三十六人，不設書吏等具體辦事人員，以保證辦事的機密。

軍機處值房在隆宗門內迤北，俗稱軍機房，軍機大臣在此辦公。軍機章京值房在隆宗門內迤南，滿漢兩班，同署辦公，分居左右。每日寅（寅正四時）時，軍機大臣及章京等依次入直。辰（辰正八時）刻，軍機大臣始入見，或不待辰刻而先召見，每日一次或數次，軍機章京隨入。軍機大臣到帝前，賜坐。承旨畢，退出，授軍機章京書寫。述旨完畢，內奏事太監傳旨下達。軍機處銀印藏大內，印盒鑰匙由領班軍機大臣佩掛着。

軍機處與內閣有甚麼不同呢？軍機處與內閣，既有聯繫，又有區別。（一）軍機處主管重大機密事務，內閣則辦理日常行政事務。（二）內閣有衙門，下設六部，各置官署。軍機處則為「四不」：不設衙門，不頒發關防，不獨立發文，不直接指揮各級軍政部門。（三）軍機大臣兼大學士掌握軍政實權。（四）清制，皇帝諭旨下達，分明寄和暗寄兩種：明降諭旨，交內閣辦，由內閣通過行政系統下達；暗降諭旨，如朱批奏摺，由軍機處密封後交兵部，傳遞到當事官員手裏，不經中間環節，一竿子插到底。（五）軍機處是一個行動的機構，皇帝走到哪裏，軍機處就跟到哪裏。

明清兩朝中樞機構有甚麼區別呢？明朝政府運作，皇帝之下，設立內閣。清朝皇帝之下，中樞機構，主要有三：

一是王大臣會議。始於清入關之前，有「八大貝勒共議國政」的制度。明藩王在外地，不預政。清諸王「內裏政本，外領師幹」，所以清朝「親貴用事，以攝政始，以攝政終」（《清史稿·

諸王傳》卷二百十五）。

二是內閣。皇太極借鑒明朝內閣制度，諸王議政與內閣制度並存，入關之後，延續下來，且王大臣議政逐漸淡化。清朝內閣，沿襲明制。設內閣大學士，一般五至七人，多兼六部尚書。官品屢有變化，一般為正一品。下設內閣學士（相當副部或司局級），編制十二人，中書（相當於處級），編制為一百四十三人。內閣下有：分管不同文字的滿本房、漢本房、蒙古本房等。

三是軍機處。有清一代，大學士二百四十九人，軍機大臣一百四十七人，大學士兼軍機大臣七十三人，實際為三百五十九人。軍機處是一個力求準確貫徹皇帝旨意的御前機要處、秘書處。

清朝中樞機構演變軌跡表明：皇權在逐漸強化，滿族貴族權力實際也在強化，決策與執政體系日益閉塞僵化。這種體制可用於維持穩定，但用於創新以應對西方列強挑戰，則是弊多利少。此期，一些西方國家在走向議會制，重民權，輕君權。清朝卻在強化君權，弱化民權，這是清朝覆亡一個體制上的原因。

三 解放賤民

雍正帝在養心殿理政，推行多項改革，其中一項是「廢除賤籍」，就是解放賤民。甚麼是「賤籍」呢？明清戶籍一般分為四種：士、農、工、商。正常戶籍之外，還有社會地位低下、受到社會歧視的人，被稱為「賤籍」，就是下賤的、被歧視的社會群體。這種社會現象，古代印度也有。

古印度有四種等級，就是四大種姓（一）婆羅門，神職人員；（二）剎帝利，國家保衛者；（三）吠舍，商人；（四）首陀羅，工農勞動者。種姓之外，還有賤民，又稱「不可接觸者」。種姓之間，各種姓和賤民之間，等級森嚴，職業世襲，內部通婚，永不改變，甚至於不得交往、共食、並坐、同行。直到近代才宣佈廢除。

當時清朝存在歷史遺留的「賤民」，包括樂戶、惰民、伴當、世僕、蜑戶等。他們從事卑賤職業，不許參加科舉考試，不許同外面人通婚，不許購置土地產業，不許改變世襲身份，是永無翻身之日的可憐人。

一說樂籍。樂籍是明朱棣起兵時，山、陝不肯附順百姓的子女，編為樂籍，也稱樂戶，世世子孫，娶婦生女，被逼為娼，地方豪紳，凡有呼召，不敢不來，喝酒淫樂，百般賤辱。雍正元年（一七二三年）三月二十日，監察御史年熙上奏摺，請銷除樂籍。朱批：「此奏甚善，該部議奏。」經禮部議覆，命銷除樂籍，准其為良民。

二說惰民。浙江紹興等地，有宋朝將領焦光瓚部眾因叛宋被斥為惰民，後裔子孫，身份不變，他們穿的衣服、戴的帽子，婦女穿的裙子等，都不能同常人一樣。他們以捕龜、捉蛙、逐鬼、演戲、抬轎等為業。這些人「醜穢不堪，辱賤已極」。廢除樂籍三個月後，兩浙御史噶爾泰也上奏摺，請求廢除紹興地方惰民丐籍，但經禮部議駁。雍正帝認為給惰民丐戶銷籍，「此亦係好事」，這也是好事，命「將原本發回，着再議具奏」。隨後就批准執行。

三說伴當。安徽省徽州府（今黃山市）有「伴當」，寧國府（今宣城）有「世僕」。經安徽巡撫魏廷珍調查奏報，命對年代久遠，沒有文契，或已贖身的伴當等，將其身份改為良民。

四說丐戶。江蘇常熟等的丐戶等，也都被視為賤籍。雍正帝下諭准許他們列入編戶，恢復為良民。

五說棚戶。閩、贛等地區的棚戶等，均被視為賤籍。雍正帝命廢除賤籍，改為良民。

六說蜑戶。主要在廣東等地方，《嶺外代答》記載：「以舟為室，視水為陸，浮生江海者，蜑也。」他們被視為賤民，不許登岸居住。雍正帝指出，蜑戶本屬良民，不可輕賤摒棄，而且蜑戶輸納漁課，與齊民一體，不得使之飄蕩靡寧。因此，雍正帝令廣東督撫通行曉諭，凡無力之蜑戶，聽其在船自便，不必強令登岸。如有力能建造房屋及搭棚棲身者，准其在近水村莊居住，與齊民一同編列甲戶，不得藉端欺凌驅逐，並令有司勸諭蜑戶，墾荒種田，共為務本之人。

但是，賤民主要是受土豪劣紳控制與踐踏的對象，雍正帝革除賤民賤籍，損害了不法豪紳的利益，他們中有人暗中阻撓，也有人公然反抗。雍正十二年（一七三四年）有個名叫葛遇的世僕，帶領十多人到北京鳴冤告狀，請求開戶為民，在政府干預下，他們實現了心願。

後來又規定，賤民入籍後，准其入學，入籍二十年以上，有田廬墳墓者，應准其各在居住州縣一體考試。他們不僅被允許讀書，而且被允許參加科考。

雍正帝為甚麼要廢除賤民呢？

一、雍正帝認為賤民存在是前朝弊政，他做出改革，顯示新政新風，表明他是一位行「仁政」的君主。

二、賤民與豪強是對立的，雍正帝廢除賤籍，讓賤民感恩，也藉以抑制鄉紳豪強勢力。

三、賤民因備受欺淩，有不滿情緒，易引發社會問題，而不編保甲的賤民又不便稽查，雍正帝讓他們成為編戶良民，利於社會治安。

雍正帝把樂籍、惰民、伴當、丐戶、棚戶、蜑戶等，看作是良民。這說明雍正帝關懷社會弱勢群體，有生民平等的觀念。他為甚麼會有「生民平等」觀念呢？因他在做雍親王時，學過佛經，並編印《御選語錄》，就是他學習和摘選的佛經語錄，受了佛家「眾生平等」理念的影響，也深受儒家「仁愛」理念的影響。

雍正新政，雷厲風行。成績斐然，氣象一新。前朝積弊，受到清刷。但是，八旗痼疾，未能改革，日積月累，匯成後患。

第三十講　養心懲貪

乾隆懲貪的歷史鑒戒：

一、盛世當用重刑。貪贓枉法，代價沉重：身陷極刑，家產籍沒，妻妾為奴，殃及子孫。

二、貪官多為寵臣。怙寵亂政，民饑成亂。貪官多是寵臣，騷亂多因民怨。《水滸傳》說「官逼民反」，為防止民反，必嚴懲貪官。

三、治貪從高端始。先清源泉，再理濁流。源清流不濁，源濁流不清。

△乾隆帝二十五歲繼位，仍住養心殿，到他而立之時，清帝入主中原已近百年。中原地區，半個世紀，太平安定，沒有戰爭。康熙晚期，吏治鬆弛，官員貪污，相當嚴重。雍正帝雷厲風行，嚴肅吏治，起到很好的效果。但雍正後期，身體欠佳，迷戀丹藥，官員貪腐，竟然成風。乾隆帝親抓大案要案，懲治貪官，整頓吏治，態度鮮明，措施具體。

一 高恆之案

在養心殿，乾隆帝辦的一件大案是高恆貪污案。

高恆，滿洲鑲黃旗人，高佳氏，大學士高斌之子。高斌官文淵閣大學士、軍機大臣、內大臣、吏部尚書、直隸總督、南河（江南河務）總督等，女兒是乾隆帝慧賢皇貴妃（《清史稿·后妃傳》卷二百十四）。高斌一生，勤奮兢業，以七十三歲高齡，累死在治河工地上，與靳輔等同受廟祀（《清史稿·高斌傳》卷三百十）。高恆依恃乃父為高官，又是乾隆帝小舅子，沒有經過科舉考試，以國子監蔭生，被授予戶部主事。這自然比科舉考試升官來得快，也來得容易。經外放，任差山海關、淮安關、張家口關等稅關的長官，這些都是肥差。不久，署理長蘆鹽政，接着任天津總兵。乾隆二十二年（一七五七年），授兩淮鹽政。這兩淮鹽政既是貴差，又是肥差，當年康熙帝任命李煦擔任。可見乾隆帝對高恆的信任和寵信。高恆官運亨通，二十九年（一七六四年），奉調回京，任上駟院卿，主管天子馬匹，仍兼領兩淮鹽政。三十年（一七六五年），他因從兄（堂兄）高晉為兩江總督，應當回避，不再管兩淮鹽政，署戶部侍郎，相當於財政部副部長兼國家稅務總局局長。不久，任總管內務府大臣，就是大內的總管。總管內務府大臣是至親、至信、至重、至要的官缺。三十二年（一七六七年），署吏部侍郎，任管幹部和人事的副部長。這時，乾隆帝屢次南巡，兩淮鹽商在揚州迎駕，興建行宮，大肆鋪張，花費巨大。

高恒在任兩淮鹽政期間，令鹽商每一引鹽抽銀三兩為公家用錢，這筆銀子被他中飽私囊，沒有報告戶部。三十三年（一七六八年），兩淮鹽政尤拔世，奏報高恒貪污弊端，乾隆帝命罷高恒官，並命江蘇巡撫彰寶，會同尤拔世，聯合查辦此案。經過調查，諸鹽商告發：高恒貪污連年上貢和準備南巡的銀子四百六十七萬餘兩。這個數字有多大呢？全國年徵鹽課銀：康熙六十年（一七二一年）為三百七十七萬餘兩，雍正十二年（一七三四年）為三百九十九萬餘兩。高恒竟然貪四百七十六萬餘兩！乾隆帝命刑部調查審理，事實清楚，證據充足。諭旨：高恒受鹽商賄金，伏誅。（《清史稿．高恒傳》卷三百三十九）相關官員，定罪有差。但在乾隆帝要定高恒死罪時，大學士傅恒為高恒求情：請皇上推慧賢皇貴妃恩，免其死。乾隆帝說：如果皇貴妃兄弟犯法免死，那麼皇后兄弟犯法當奈何？這話是說給傅恒聽的，傅恒的姐姐是乾隆帝孝賢純皇后富察氏。傅恒一聽，話外有音，這是「敲山震虎」，警告我的！由是戰慄，不再敢言。

俗話說：「福無雙至，禍不單行。」高恒之子高樸，也不是科舉正途出身，以祖、父、姑三重關係，初為員外郎，繼為給事中，巡山東漕政，由處級升為局級。乾隆三十七年（一七七二年），破格任左副都御史（副部級）。乾隆帝發現高樸耍小聰明：「朕前有意見長，退後輒圖安逸。」吏部議免其官，命從寬，仍其職。遷為兵部右侍郎。乾隆帝祕密記錄直省道台與知府的姓名、政績和缺點，但被太監高雲從洩露到外廷，致使左都御史觀保等私下議論其事。高樸聞知，具疏報告。乾隆帝大怒，命誅高雲從，其他不問。乾隆帝表揚高樸說：「諸大臣豈無見聞，獨高樸為之陳奏，內省應自慚。」並指出：「高樸若沾沾自喜，不知謹懍，轉致妄為，則高雲從即其前車，朕亦不能曲貸也。」四十一年（一七七六年），命高樸任新疆葉爾羌辦事大臣。距葉爾羌四百餘裏有座密爾岱山，產美玉，已封禁。高樸到葉爾羌後，疏請開採，每年一次。兩年後，新疆阿奇木伯克色提巴勒底，奏訴高樸役使回民三千人上山采玉，婪索金銀，盜賣官玉。乾隆帝得到奏報，命將高樸奪官嚴鞫。經查，高樸在葉爾羌存銀一萬六千餘兩、黃金五百餘兩，並將美玉寄回家。（《清史稿·高恒子樸傳》卷三百三十九）乾隆帝諭曰：「高樸貪婪無忌，罔顧法紀，較其父高恒尤甚，不能念為慧賢皇貴妃侄而稍矜宥也。」就是說，不能因高樸是皇貴妃的親侄子，就可以免受處罰。乾隆帝命：殺高樸，籍其家。

高恒、高樸父子案剛結，王亶望案又起。

二 王亶望案

在養心殿，乾隆帝辦的又一件大案是王亶望貪污案。

王亶望，山西臨汾人，江蘇巡撫王師之子。亶望考取舉人後，沒有參加會試和殿試，雖沒取得進士功名，但花錢買了個知縣。先後任甘肅山丹、皋蘭等縣知縣，後升為雲南省武定府知府。乾隆帝引見後，命他仍然去甘肅，等待分配，後任寧夏府知府。再升任浙江布政使，就是副省級，並暫署巡撫，就是代省長。王亶望雖然學歷不高，又不是正途，但會做官，官運亨通。

王亶望喜歡拍馬屁，卻拍到馬蹄子上。乾隆三十八年（一七七三年），乾隆帝到天津巡視，王亶望借機向乾隆帝獻上金如意，金如意上嵌飾珠寶，非常貴重，但遭拒絕。一年後，王亶望由浙江布政使兼代理巡撫，調任甘肅布政使，這顯然是明調暗降。

王亶望到甘肅就職後，做了一件事，令乾隆帝發怒。原來規定：允民用豆和麥，可捐納國子監的生員，可以應試入官，這叫作「監糧」，乾隆帝曾下令廢除。不久，乾隆帝又允肅州和安西，可以如舊例捐納。王亶望到甘肅任，向陝甘總督勒爾謹申請，以內地倉儲未實為由，代為上疏申請甘肅省諸州縣都可以收捐；隨之，又請於勒爾謹，令民眾改為輸納白銀。王亶望又虛報旱災，謊稱以粟治賑，就是直接或變相貪污賑災糧銀，以飽私囊。他們做得很巧妙，自總督以下官員都有份，王亶望獲取更多。議行半年多，王亶望疏報共收捐（賣名額或賣文憑）一萬九千〇一十七名，獲得豆麥八十二萬七千五百餘石。（《清高宗實錄》卷九百七十一）

事發，乾隆帝說：「甘肅民貧地瘠，安得有二萬人捐監？又安得有如許餘糧？今半年已得八十二萬，年復一年，經久陳紅（陳糧），又將安用？即云每歲借給民間，何如留於閭閻，聽其自為流轉？」（《清史稿．王亶望傳》卷三百三十九）因發「四不可解」（《清高宗實錄》卷九百七十一），詰問勒爾謹。勒爾謹巧辭回覆。乾隆帝沒有深究，只是告誡說：「爾等既身任其事，勉力妥為之可也。」而後，王亶望升任浙江巡撫。

猴改不了爬樹，狗改不了吃屎。王亶望任浙江巡撫後，迎駕乾隆帝南巡。王亶望在杭州迎駕，建造屋宇，點綴燈彩，華縟繁費，極為奢侈。乾隆帝既喜歡豪華鋪張，又不願顯得奢華，告誡下不為例。王亶望母親死，請治喪百日後，留海塘工程效力，獲准。但浙江巡撫李質穎入覲養心殿，順便奏告王亶望不派妻孥等回鄉治喪。乾隆帝借茬將王亶望免職，仍留海塘工程效力。

案子由突發事件引起。乾隆四十六年（一七八一年），甘肅循化（今屬青海）撒拉族蘇四十三率眾起事。陝甘總督勒爾謹督師兵敗，被逮捕下獄。大學士阿桂、尚書和珅先後出師甘肅，因雨延期入境。乾隆帝因疑甘肅連年報告大旱不實，令調查具實奏聞。阿桂等上奏王亶望等賣官、虛報旱災等罪。乾隆帝大怒，命逮捕陝甘總督勒爾謹、原巡撫王亶望、甘肅布政使王廷贊、蘭州知府蔣全迪等下獄。此案受牽連的勒爾謹，滿洲鑲白旗人，乾隆初以翻譯進士授刑部主事，遷員外郎。後升任陝甘總督。下刑部論斬，命改斬監候，死於獄中。此案也受牽連的陳輝祖，為兩廣總督陳大受之子，時任閩浙總督兼浙江巡撫，以查抄王亶望家時匿藏金玉器，後賜自裁，其子戍伊犁（《清史稿·陳輝祖傳》卷三百三十九）。此案還牽連已故乾隆三年（一七三八年）狀元、軍機大臣、文華殿大學士兼戶部尚書、四庫全書館正總裁、上書房總師傅兼翰林院掌院學士于敏中，時敏中已死，併入祀賢良祠。乾隆帝命「于敏中着撤出賢良祠」（《清史稿·于敏中傳》卷三百十九），遭身後之辱。

經審：諸州縣賄賂數以千萬計；抄王亶望家得金銀一百餘萬兩。審結：總督勒爾謹自裁（死於獄中），巡撫王亶望論斬，布政使王廷贊論絞，蘭州知府蔣全迪斬首，州縣官貪污賑濟銀二萬兩以上者二十二人俱斬首。還有，王亶望之子王裘發伊犁，幼子下獄到年滿十二歲時逐個流放。而後，又發現並誅殺閔鵷元等十一人，獲罪董熙等六人。

王亶望之案，總督勒爾謹、巡撫王亶望等貪污腐敗，激發了甘肅蘇四十三民變。此案殺總督勒爾謹和陳輝祖二人，巡撫王亶望一人，布政使王廷贊一人，知府和知縣等三十三人，其他受處分官員多人。

此案，乾隆帝早有耳聞，派軍機大臣、刑部尚書袁守侗，覺羅、刑部左侍郎阿揚阿前往，盤查甘肅監糧。不料，這位大司寇上奏稱「倉糧係屬實貯」。乾隆帝信以為真，不再追查。這次案發之後，乾隆帝在承德避暑山莊，問訊阿揚阿當年前往甘肅盤查糧倉之事，阿揚阿奏稱：「在甘省盤查時，逐一簽量，按州核對，俱係實貯在倉，並無短缺。」乾隆帝對此毫不相信，他認為：此必當地官員一聞查倉之信，挪東掩西，為一時彌縫之計，其簽量人役，均係地方官所管，易於通同弊混，而袁守侗、阿揚阿等受其欺蔽，率稱並無虧短。為此，下諭：此等簽量人役，即係地方官所管之人，阿揚阿當時「雖逐倉查驗，亦止能簽量廒口數尺之地，至裏面進深處所，下面鋪板，或摻和糠土，上面鋪蓋谷石，此等弊竇，阿揚阿能一一察出不受其蒙蔽乎？」乾隆帝此諭問得很好，把袁守侗、阿揚阿的受騙失職，實際情況，揭示清楚。在短時間內，他們開銷監糧六百餘萬石，又銷去舊存常平倉一百三十餘萬石，合計七百三十餘萬石，為何並未察及？是官官相護，或是知情不舉，或是敷衍塞責，或是確受蒙蔽？乾隆帝說：袁守侗、阿揚阿查辦此案，均難辭咎，着交部嚴加議處。部議袁守侗奪官，命留任治河，兩年後病死，阿揚阿革職。

王亶望之案審結後，又有國泰大案。

三 國泰之案

在養心殿，乾隆帝辦的再一件大案是國泰貪污案。

國泰，滿洲鑲白旗人，富察氏，初官刑部主事，再遷郎中，後升任山東布政使。有一件事國泰給乾隆帝留下很深的印象。他父親文綬任總督時，奉命查前四川總督阿勒泰放縱兒子明德布貪婪勒索屬吏之案，因徇私而不如實陳奏，遣戍伊犁。國泰立即上疏謝罪，請求跟從父親到伊犁戍所，並代父親贖罪。乾隆帝諭道：「汝無罪，何必惶懼？」乾隆四十二年（一七七七年），升山東巡撫。

國泰是紈綺子弟，家教不嚴。其父文綬，歷官山西布政使、河南巡撫，署陝甘總督、湖廣總督、四川總督，曾三次因徇庇貪污犯等罪而被免官，併發往軍台或伊犁效力（《清史稿．文綬傳》卷三百三十二）。文綬常年在京外做官，無暇嚴教兒子。國泰依仗滿洲貴族出身，父親又是高官，少年得意，驕橫跋扈。對待屬吏，小不當意，便發脾氣，加以呵斥。這裏講一個故事。身任山東布政使的于易簡，見了山東巡撫國泰，竟然「長跪白事」，就是跪着說事。于易簡是何許人？他是當朝大學士、軍機大臣、頭名狀元于敏中的弟弟。大學士阿桂等曾以國泰驕橫乖張，請改為在京做官。乾隆帝知道一點國泰驕橫的劣跡，曾告誡國泰對待下屬官吏「當寬嚴得中」，令他警惕改悔，但他還是執迷不悟。

乾隆四十七年（一七八二年），御史錢灃劾奏山東巡撫國泰和布政使于易簡吏治廢弛，貪縱營私，貪得無厭，搜刮百姓，州縣庫空。錢灃，雲南昆明人，乾隆帝命尚書和珅、左都御史劉墉前往調查處理，並令錢灃同往。灃，雲南昆明人，乾隆三十六年（一七七一年）進士。錢灃、劉墉、和珅三個人態度不同：錢灃因揭發此案，堅持嚴查，不屈不撓；劉墉（山東諸城人），主持正義，以國泰虐害其鄉裏，偏向錢灃；和珅雖「忧錢灃」，卻暗裏袒護國泰，事先透露消息，國泰已做準備假借市銀（市場流通銀子）補足庫銀虧空。和珅到濟南後，立即盤查歷城銀庫裏的帑銀，並令抽看庫銀數十封，足數無缺，立即起身，返回行館。（《清史稿．和珅傳》

卷三百十九）這裏有個故事：「帑銀以五十兩為一鋌，市銀則否。」就是說帑銀與市銀的規格與包裝不一樣。有論者說劉墉先同錢灃商量，共同定下對抗舉措。於是，錢灃按計行事請立即封庫，第二天再查。第二天他們來到銀庫，發現庫銀為外借的市銀充數。錢灃按問得實，召來商人，歸還所借，銀庫為之一空。劉墉和錢灃再查章丘、東平、益都三州縣的銀庫，全都虧缺。（《清史稿．錢灃傳》卷三百二十二）經查，山東各州縣銀庫虧二百多萬兩銀子，都是國泰、于易簡在官時的事。在審訊國泰時，國泰對錢灃罵道：「汝何物，敢劾我耶！」劉墉大怒道：「御史（錢灃）奉詔治汝，汝敢罵天使耶？」當即命人抽國泰的嘴巴。國泰害怕，跪在地上。和珅看着，也沒辦法。國泰等罪狀屬實，和珅也無法庇護。

此案經進一步審理，國泰承認貪婪索取其下屬官員，數輒至千萬。于易簡諂媚國泰，督撫夥同貪婪。獄定，皆論斬，乾隆帝命改斬監候，下刑部獄。命國泰即在獄中自裁。（《清史稿．國泰傳》卷三百三十九）此外，兩年後，兩江總督郝玉麟之子郝碩，官江西巡撫，被劾鞫實。乾隆帝命郝碩同國泰例，賜自裁，並通諭：「諸直省督撫，當持名節，畏憲典，以國泰、郝碩為戒！」（《清史稿．郝碩傳》卷三百三十九）

這裏講錢灃借錢的故事。錢灃在彈劾國泰前，自知凶多吉少，做被戍邊的準備。對好友邵南江翰林說：「家有急用，需錢十千，可借乎？」邵答：「錢可移用，將何事也？」錢說：「子勿問何事。」借了錢，三天後，錢灃上彈劾國泰的奏章。事後，邵問錢：「子前告我需錢十千，豈為此事耶？」錢灃說：「是，我想彈劾國泰必被譴戍，故預備點錢用。」邵說：「若有此事，十千錢不夠用啊！」錢說：「我喜食牛肉，在路上可以不用僕從，以五千錢買牛肉，每天吃肉充饑，其餘錢我自己預備，能到達戍地就行。」聽到這番話的人無不震驚。陳康祺對此說：「乾隆至今，不少敢言之諫官，求如通政之廉儉為體，剛正為用，亦本朝有數直臣也。」（陳康祺《郎潛紀聞三筆》卷十一）此外，錢澧還疏劾陝甘總督畢沅於王亶望案失察，畢被降作視同三品。錢澧反貪，得罪和珅。有書記載，錢澧貧，衣裘薄，宵興晡散，勞寒得疾，乾隆六十年（一七九五年）死。「或謂澧將劾和珅，和珅實鴆之。」（《清史稿．錢澧傳》卷三百二十二）

做個言官，堅持正義，剛正直言，多麼不易！以上三個大案，事涉大學士一人，總督、巡撫、布政使九人。他們居官不可謂不大，門第不可謂不高，刑罰不可謂不重，主犯殺頭，抄沒家產，殃及子孫。《清史稿》第三百三十九卷為乾隆朝十八位督撫級貪官列傳或附傳，纂者最後論道：「高宗譴諸貪吏，身大辟，家籍沒，僇及於子孫。凡所連染，窮治不稍貸，可謂嚴矣！」但是，為甚麼貪污之風屢禁不止，且愈演愈烈呢？《清史稿》本卷纂者又評論：「乃營私骩法，前後相望，豈以執政者尚貪侈，源濁流不能清歟？抑以坐苞苴（指饋贈的禮物）敗者，亦或論才宥罪，執法未嘗無撓歟？」（《清史稿》卷三百三十九）就是說，其一，源濁流不能清；其二，執法受到干擾。不過，歷史經驗，可以總結。[1]

乾隆懲貪的歷史鑒戒：

一、盛世當用重刑。讓貪贓者，代價沉重：身陷極刑，家產籍沒，妻妾為奴，殃及子孫。「觀其所誅殛殺死），要可以鑒矣！」

二、貪官多為寵臣。怙寵亂政，民饑成亂。貪官多是寵臣，騷亂多因民怨。《水滸傳》說「官逼民反」，為防止民反，必嚴懲貪官。

三、治貪從高端始。先清源泉，再理濁流。源清流不濁，源濁流不清。乾隆帝懲貪重點是總督、巡撫、布政使，結果卻漏掉了更大的貪官，如和珅。

歷史經驗，一再表明：大臣怙寵而亂政，庶民饑寒而成亂。乾隆帝治貪嚴懲高官，雍正帝理民豁免賤籍，都是治國理政的寶貴經驗。

1 佛家首戒貪，戒貪在知足。胤禛《悅心集》載錄無名氏《不知足詩》：終日奔波只為饑，才方一飽便思衣。衣食兩般皆俱足，又想嬌容美貌妻。娶得美妻生下子，恨無田地少根基。買得田園多光潤，出入無船少馬騎。槽頭結了騾和馬，歎無官職被人欺。縣丞主簿還嫌小，又要朝中掛紫衣。若要世人心裏足，除是南柯一夢回。

第三十一講　養心三希

一個堂堂大清帝國的乾隆皇帝，在只有四點八平方米的低矮、狹小殿閣裏讀書寫字，若不是有實物在，親眼看到實景，令人難以相信。參觀故宮的人，在「三希堂」窗外一窺，聯想到那些大辦公室和大班桌之大，相比之下，感慨萬千！

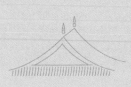

⌂ 乾隆帝在養心殿裏生活了六十四年，他同養心殿「三希堂」，演繹出不少文化佳話。

一 堂名三希

養心殿西暖閣，隔成若干小間。西間前室的殿額，原是「為君難」，後換為「勤政親賢」，都是雍正帝御書。作為國君來說，其「難」在於「勤政親賢」：勤於政或荒於嬉，親賢良或昵奸佞，確實是明君與昏君的一塊界石。額兩邊聯曰：「惟以一人治天下，豈為天下奉一人。」在養心殿西暖

三希堂（林京 攝）

閣的西頭，隔出一個小間，精巧別致，幽雅清靜，採光充足，冬天溫暖，稱養心殿溫室，為皇帝讀書處。乾隆十一年（一七四六年），乾隆帝將王羲之《快雪時晴帖》（簡稱《快雪帖》）、王獻之《中秋帖》、王珣《伯遠帖》，視為三件稀世之珍，收藏在這裏，將溫室改名為「三希堂」，並親書堂額。

「三希堂」，屋子極小，經我實測：東西長二百一十釐米，南北寬二百二十八釐米，面積約四點八平方米，屋高（地面到頂棚）一百九十七釐米（今普通樓房住宅約二百六十釐米）。屋裏一半為炕，長二百一十釐米，寬一百一十四釐米，面積約二點四平方米，比一般住家戶的雙人床還小[1]。炕上東牆，掛「三希堂」額，兩側聯曰：「懷抱觀古今，深心託毫素。」乾隆御題，保存至今。西牆，有郎世寧和金廷標合畫《人物觀花圖》貼落一幅，長九十五釐米，寬九十五釐米。貼落是宮內牆上或槅上貼的字畫。炕東頭安放靠背、坐墊和迎手一組，擺放玉如意一件，痰盂一件。坐墊前為書桌，長七十釐米，寬三十一釐米，面積約〇點二二平方米，高三十八釐米。書桌上擺放玉筆筒（內裝毛筆數支）、玉筆山（筆架）、硯台各一件。炕西頭擺放雙層炕几一張，長九十六釐米，寬二十七釐米，面積約〇點二六平方米，高三十八釐米。炕南窗的窗台上，擺放玉羊、玉山、玉冠架、玉璧和玉角杯各一件。窗台左右立面，各掛一件壁瓶。

屋裏另一半為地面，其面積和炕的面積一樣大。東牆：壁瓶十一個，有序擺掛，華貴雅素。壁瓶下面的地上，擺放三希堂法帖楠木盒，每個長十九釐米，寬十一釐米，高十一釐米，八盒，每摞兩盒，共四摞。西牆：是一面從上到下的大鏡子。鏡子正對東牆的壁瓶，使房間在視覺上顯得寬闊了不少。據鄭欣淼先生統計，三希堂共陳設有一百一十件文物。整個屋子巧妙地將室內裝修、牆面、地面、頂棚、文具、文物、文玩與建築融為一體。

「三希堂」不是比較小，而是特別小。一個堂堂大清帝國的乾隆皇帝，在只有四點八平方米的低矮、狹小殿閣裏讀書寫字，若不是有實物在，親眼看到實景，令人難以相信。參觀故宮的人，在「三希堂」窗外一窺，聯想到那些大辦公室和大班桌之大，相比之下，感慨萬千！

這麼一間小屋，二百多年以來，名揚天下，是為甚麼？唐劉禹錫《陋室銘》說：「山不在高，有仙則名；水不在深，有龍則靈。」引申開來，室不在大，有寶則名。三希堂裏，既無仙，也無龍，但有三件稀世珍寶。乾隆帝作《三希堂記》說：「內府秘笈王羲之《快雪帖》、王獻之《中秋帖》，近又得王珣《伯遠帖》，皆希世之珍也。因就養心殿溫室易其名曰『三希堂』以藏之。」這裏的「希」字，是稀少的意思，所以就命名為「三希堂」。「三希堂」名稱的來源，還有倫理與哲學的含義：「士希賢，賢希聖，聖希天。」[2]（弘曆《三希堂記》）這裏的「希」字，是仰慕的意思，士人仰慕「賢」的境界，賢人仰慕「聖」的境界，聖人則仰慕「天」——「天人合一」的最高境界。不懈追求，自強不息。

1 「三希堂」外間，長三百六十三釐米，寬二百一十釐米，面積七點六二平方米，以藍白兩色幾何紋圖案方瓷磚鋪地。

2 乾隆帝：「士希賢，賢希聖，聖希天。」周敦頤原話為：「聖希天，賢希聖，士希賢。」

二 書壇三傑

「三希堂」裏《快雪帖》作者王羲之、《中秋帖》作者王獻之和《伯遠帖》作者王珣三位，是「同族、同時，為江左風流冠冕」的大書法家。

王羲之，字逸少，東晉琅邪（今山東臨沂）人。他的生卒年有多種說法。出身於高官顯宦之家，祖父為尚書郎，伯父為司徒王導，父親為淮南太守。王羲之官至右軍將軍、會稽內史，然而他最突出的特點是工書法，有「書聖」之譽。他博採眾長，精研體勢，推陳出新，一變漢、魏以來質樸書風，創出妍美流麗的書法新體。

王羲之幼年時，比較靦腆，不愛說話，人們並沒覺得他有奇異之才。十三歲時，書法受到社會名流的器重，開始知名。漸長，尤善隸書，為古今之冠，論者稱其筆勢，以為「飄若浮雲，矯若驚龍」（《晉書．王羲之傳》卷八十），特別受到伯父王導的器重。當時太尉郗鑒想為女兒選女婿，王導就讓其在家族「海選」眾多子弟。「海選者」回覆郗鑒說：「王氏諸少年都不錯，聽到資訊，趕過來了，都自矜持。只有一人，在東床邊，袒露肚子，在吃東西，若無其事。」郗鑒說：「這就是我的佳婿呀！」太尉郗鑒就把女兒許嫁給這位少年即王羲之為妻。

王羲之性愛鵝。有位孤居老婦養一隻鵝，善鳴，到市上去賣，沒有人買。王羲之聽說後，同親友前去看鵝。老婦聽說王羲之要到家裏來，就殺鵝招待王羲之。王羲之本來要看鵝，卻看不到鵝，非常遺憾。

王羲之還聽說附近有一位道士好養鵝，就去觀看。他看了鵝，很高興，想買。道士說：「為我寫《道德經》，我就將這一群鵝相贈。」王羲之欣然寫完《道德經》，把鵝裝在籠子裏，高興地帶回家。

王羲之還曾見一位老婦，正在賣竹扇，就在每把扇子上各寫五個字。老婦流露出滿臉的不高興。王羲之對老婦說：「你就說這是王右軍的書法，要一百錢才賣。」老婦果然照辦，人們競相購買老婦的扇子。幾天後，老婦又拿扇子來，讓王羲之在扇子上寫字，羲之笑而不答。

王羲之寫字成癖，一次他到學生家，見几案滑淨，就在上面寫字。後被學生之父誤將几案上的字刮了去，學生很驚訝，惋惜好幾天。他曾跟人說：「張芝臨池學書，池水盡黑！」很贊佩這種刻苦精神。及到晚年，書法更妙。人們稱讚王羲之書法「煥若神明」。

王羲之頗有美譽，朝廷公卿，社會名流，都愛其才器，多次召他做官。王羲之坦然表示：「吾素自無廊廟志！」（我根本沒有在朝做官的志趣）朝廷授他護軍將軍，推辭不拜，後授他為右軍將軍。所以人們稱王羲之為王右軍。王羲之做官，重生計，恤民生：地方鬧饑荒，他開倉賑災；朝廷重賦役，他力爭減賦。

王羲之喜愛會稽即今浙江紹興的青山綠水，名士雅居，尤其是會稽山陰的蘭亭（現存後建王右軍祠）。因與王述（曾官尚書令、建威將軍、會稽內史）不和，辭去官職，定居在會稽山陰（今紹興），曾與謝安（官至宰相，督揚州等十五州軍事，後指揮取得「淝水之戰」勝利）等好友集蘭亭，相傳在永和九年（三五三年）三月三日，這年他五十歲，寫下二十八行、三百二十四字著名的《蘭亭序》：[1]

永和九年，歲在癸丑，暮春之初，會於會稽山陰之蘭亭，修禊事也。群賢畢至，少長咸集。此地有崇山峻領，茂林修竹，又有清流激湍，暎帶左右，引以為流觴曲水，列坐其次。雖無絲竹管弦之盛，一觴一詠，亦足以暢敘幽情……

王羲之既辭去官職，與人遊覽山水，飲酒流觴，垂釣為樂。又與道士交往，修心養性，年五十九卒。朝廷贈金紫光祿大夫，他兒子們以父有遺言，辭讓不受。他有七子，知名者五人，其中之一便是王獻之。

王獻之（三四四～三八六年），字子敬，王羲之第七子。與其父並稱為「東晉二王」。獻之官拜中書令，就是宰相，又稱「王大令」，尚新安公主，就是做了駙馬。

王獻之年少有名，非常清高，雖在家無事，卻衣冠嚴整，風流倜儻，為一時冠。曾與其兄長到宰相謝安府答謝，兩位兄長多談俗事，獻之只寒暄幾句。他們走後，客人問謝安王氏兄弟優劣，謝安說：「小者佳。」客問其故，回答說：「吉人之辭寡，以其少言，故知之。」

王獻之有個小故事。一天夜裏，王獻之在齋中睡覺。

1

《蘭亭序》（唐馮承素摹本二十八行，三百二十四字）：

永和九年，歲在癸丑，暮春之初，會於會稽山陰之蘭亭，修禊事也。群賢畢至，少長咸集。此地有崇山峻嶺，茂林修竹，又有清流急湍，映帶左右，引以為流觴曲水，列坐其次。雖無絲竹管弦之盛，一觴一詠，亦足以暢敘幽情。是日也，天朗氣清，惠風和暢，仰觀宇宙之大，俯察品類之盛，所以遊目騁懷，足以極視聽之娛，信可樂也。夫人之相與，俯仰一世：或取諸懷抱，悟言一室之內；或因寄所託？，放浪形骸之外。雖趣捨萬殊，靜躁不同，當其欣於所遇，暫得於己，快然自足，不知老之將至。及其所之既倦，情隨事遷，感慨系之矣。向之所欣，俯仰之間，已為陳跡，猶不能不以之興懷。況修短隨化，終期於盡。古人云，死生亦大矣，豈不痛哉！

有幾個小偷進來，把東西搜掠殆盡。王獻之慢騰騰地說：「偷兒，那件青氈是我家的舊物，你可以把這件舊物放下。」幾個小偷，聞聽之後，放下東西，驚慌逃走。

王獻之有魏晉士人風骨。一次，王獻之經過吳郡，聽說顧辟強家有名園，與顧並不相識，便乘坐肩輿，不打招呼，徑直進入。時顧辟強正在同賓友聚會，而獻之四處遊歷，旁若無人。辟強勃然數之道：「傲主人，非禮也。以貴驕士，非道也。失是二者，不足齒之傖（吳中罵人語）耳。」王獻之傲態如此。還有一次，謝安新建太極殿，想請獻之題額，作為萬代之寶，但難於啟齒，便試探說：「魏時陵雲殿建完，匾額未題，而工匠誤將匾釘上，取不下來了，便使韋仲將登懸梯在高處書寫。寫完，對他的子弟說，以後不能這樣做。」王獻之明白這話的含義，說：「仲將，魏之大臣，寧有此事！使其若此，有以知魏德之不長。」謝安不再逼他寫匾。（《晉書·王獻之傳》卷八十）

王獻之工草隸，善丹青。七八歲時學書，王羲之偷偷從背後拔其筆，拔不下來，歎道：「此兒後當復有大名。」王獻之小小年紀，曾在牆壁上書寫一丈見方的大

每覽昔人興感之由，若合一契，未嘗不臨文嗟悼，不能喻之於懷。固知一死生為虛誕，齊彭殤為妄作，後之視今，亦猶今之視昔，悲夫！故列敘時人，錄其所述，雖世殊時事異，所以興懷，其致一也。後之覽者，亦將有感於斯文。（據元陸繼善《雙鉤蘭亭序》）

字。有數百人觀看，王羲之很讚賞。一天，駙馬、權臣、大司馬桓溫要獻之寫扇面，不小心，筆誤落，因畫作烏駁犢牛，靈活機變，非常巧妙。

獻之死後，他的哥哥徽之，「奔喪不哭，直坐靈床上，取獻之琴彈之，久而不調，歎曰：嗚呼子敬，人琴俱亡！」一月餘，也亡。（《晉書．王徽之傳》卷八十）

王珣（三五〇～四〇一年），字元琳，小名法護，東晉著名書法家，丞相王導之孫，王洽之子，王羲之從侄（堂侄）。早年為桓溫的下屬。時桓溫經略中夏，竟無寧歲，軍中機務，委託王珣，文武數萬人，珣都識其面。後任征虜將軍、中軍長史，官尚書令。

珣兄弟都是謝（安）氏女婿，以猜嫌致隙。太傅謝安既與珣絕婚，又離瑉（珣弟）妻，謝、王二族，遂成仇釁。王珣有心量，他既與謝安有隙，聞謝安死，不顧族人勸阻，直到謝安靈前，哀哭甚慟。

晉帝雅好典籍，王珣陪侍左右。

王家長書法，但短壽。珣五十二歲、弟瑉三十八歲、父洽三十六歲。珣生五子，都有高名。《晉書．王珣傳》評論曰：「珣神情朗悟，經史明徹，風流之美，公私所寄。」

三　法書三絕

在《快雪帖》、《中秋帖》和《伯遠帖》法書「三絕」中，以《快雪帖》最負盛名。

《快雪帖》為王羲之寫，是一件尺牘，紙本，縱二十三釐米，橫十四點八釐米，不足一平方尺，三行，二十四字。原文為：「羲之頓首，快雪時晴，佳想安善，未果為結，力不次。王羲之頓首。」

帖後有「山陰張侯」一行四字，仿右軍書，不知為何許人。左下角有「君倩」二字題名。帖上所鈐鑒藏印章很多。有南宋「希世藏」、「紹興」諸印，賈似道「秋壑珍玩」印，金「明昌御覽」印，元張德謙、張晏父子「張氏珍玩」印，明馮銓、吳廷、王延世諸家之印，清乾隆、嘉慶、宣統「御覽之寶」及內府諸印。此帖題跋之多，實屬歷史罕見。先後有元趙孟頫、劉賡，明劉承禧、王穉登，清弘曆、梁詩正等跋。《快雪帖》冊前有乾隆帝親筆

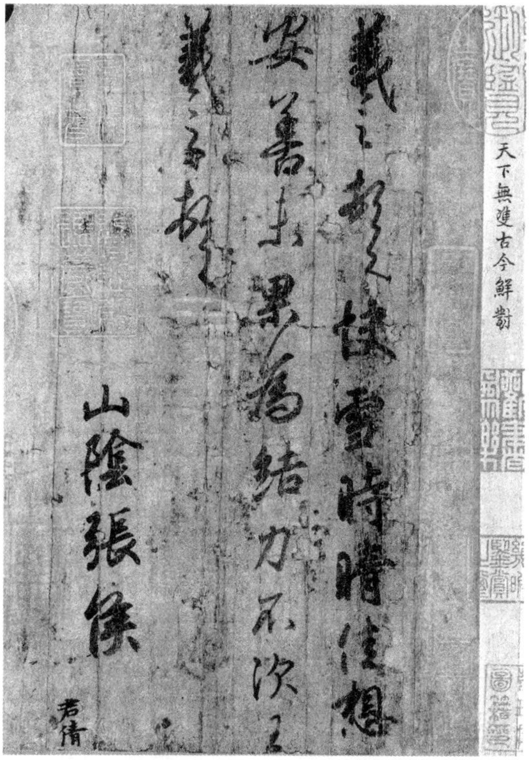

王羲之《快雪時晴帖》

繪製的《雲林小景》，冊前和冊末分別有董邦達、張若靄奉乾隆帝之命所作《晴雪圖》和《雪梅圖》。這幅寶帖，前有「快雪時晴帖，晉右將軍、會稽內史王羲之真跡」乾隆帝題跋款一行小字，題款前空行順序有「神品」、「鑒古」、懋勤殿鑒定章、王延世鑒賞之章等八方印章。帖後有趙孟頫、乾隆帝等的題跋。有人統計總共有大小約一百九十五方印章。

乾隆皇帝太喜愛《快雪帖》了。他在五十餘年間，在帖上共題了七十多處，每逢歲暮天寒，或雪花紛飛之時，「得意輒書，無拘次第」，最多一年竟題六次。乾隆帝到了晚年，視力不濟，題詩由董誥代書：「予八十有三不用眼鏡，今歲詩字多艱於細書，命董誥代寫，亦佳話也。」他歸政之後，還在帖上題「以後展玩亦不復題識矣」。乾隆帝還説，「王右軍《快雪時晴帖》為千古妙跡，收入大內養心殿有年矣。予幾暇臨仿，不止數十百遍，而賞玩未已。因合子敬《中秋》、元琳《伯遠》二帖，貯之溫室中，顏曰三希堂，以志盛世神物」云云。

《快雪帖》是真跡嗎？趙孟頫認為是真跡，他的跋語：「東晉至今近千年，書跡傳流至今者絕不可得。《快雪時晴帖》晉王羲之書，歷代寶藏者也。刻本有之，今乃得見真跡，臣不勝欣幸之至。」但有的學者仍存異議。這留待專家去研究。但此本流傳久遠，遞藏有緒，不失為「千古妙跡」。帖書行筆流暢，遒勁秀美，軒昂雄健，氣韻貫通。帖中或行或草，或流或止，或輕或重，緩急和疏密聚散，體現王羲之書法「中正和美」的藝術佳境。古人譽為「天下法書第一」。趙孟頫云：「右軍人品甚高，故書入神品。」他批評道，「奴隸小夫，乳臭之子，朝學執筆，暮已自誇」云云。清梁詩正、張若靄等跋謂：「神采耀發」「美擅千古」。此帖被公譽為「神品」「稀世珍寶」。

《中秋帖》為王獻之寫，二十二個字，米芾讚其為「天下第一」。此帖，前缺，後缺，中

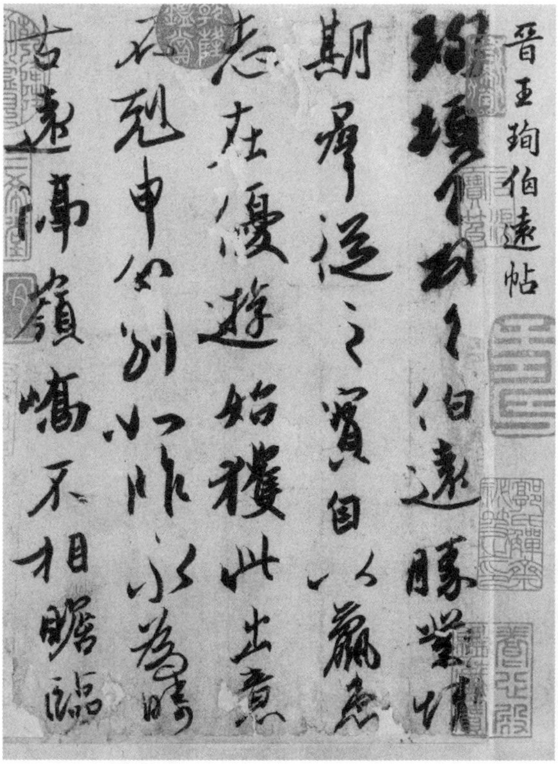

王獻之《中秋帖》

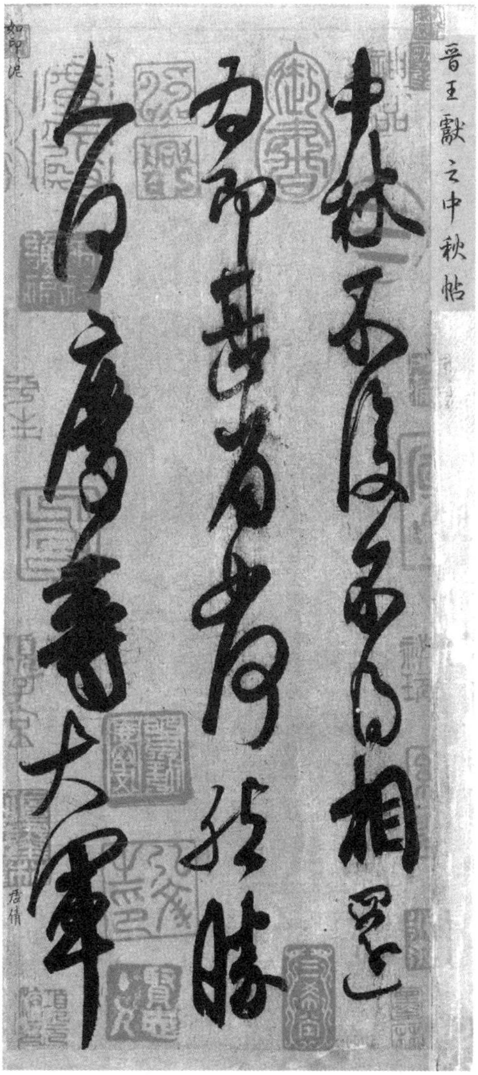

王珣《伯遠帖》

間存縱八寸四分，橫三寸六分，行書三行。因有人「割剪一二字售諸好事者」（董其昌語）。乾隆帝讚為「神韻獨超，天姿特秀」，「大內藏大令（王獻之）墨跡，多屬唐人鉤填，惟是卷真跡，二十二字，神采如新，洵希世寶也。向貯御書房，今貯三希堂中」。晉人認為王羲之、王獻之父子書法為天下第一。謝安問王獻之曰：「君書何如君家尊？」答曰：「故當不同。」安曰：「外論不爾。」答曰：「人那得知！」王獻之《中秋帖》書法，比乃父王羲之書法，雋美，而更有逸氣，但骨力不及其父。

王獻之的書法，諸體兼精，尤擅行草，世傳墨跡有行書《鴨頭丸帖》，現藏上海博物館。另有小楷刻帖本《洛神賦十三行》。

《伯遠帖》為王珣寫，五行，四十七字（一說為五十五字），紙本，行書，縱二十五點一釐米，橫十七點二釐米，以帖中首句有「伯遠」二字，故稱《伯遠帖》。王氏一門多是書法家。王珣幼承家學，刻苦擅書，聰明俊秀，博學多才。王珣的書藝，遒勁飄逸，筆法古樸。王珣書法真跡，傳世極少，墨跡只此一件，結體嚴謹，行筆逸暢，抑揚頓挫，渾然自如，鋒棱畢現，書勢險峻。明代著名書法大家董其昌評其書云：「瀟灑古澹，東晉風流，宛然在眼。」此帖曾為北宋內府收藏，並著錄於《宣和書譜》。明時為董其昌收藏。清乾隆年間收入內府。卷中有明董其昌、清乾隆帝題記，清內府藏印十餘方及卷尾董邦達繪山水一段。

三希堂的「三希」珍寶，有曲折流傳的故事。民國初年，宣統皇帝遜位後，仍居住在紫禁城裏。他暗裏典賣宮中「三希」等國寶。王羲之的《快雪帖》，因已裝裱成巨冊，不便攜帶出宮。溥儀曾於一九二四年，擬將王羲之的《快雪帖》作價四十萬元抵押給美國花旗銀行，後來未果。溥儀出宮後，此帖歸故宮博物院收藏。一九三三年《快雪帖》隨同其他文物南遷，轉移川西，抗戰勝利後運回南京，後運往台灣，現藏台北故宮博物院。我曾有幸在台北一睹真跡。王獻之《中秋帖》和王珣《伯遠帖》，因是小卷軸，便於攜帶，由瑨貴妃西林覺羅氏（十七歲進宮為同治瑨貴人，後為瑨嬪，光緒尊封瑨妃，宣統尊封瑨貴妃）帶出紫禁城，為北京收藏家郭葆昌購得。郭去世後，由其子郭昭俊繼藏。二十世紀五十年代初，郭昭俊攜「二希」與台北故宮博物院相商，因價錢懸殊未果。後轉到香港，以此「二希」做抵押向某銀行貸款，抵押期限屆滿而無力贖回。一九五一年，國家文物部門獲此資訊後，急報周恩來總理。周總理批示：「要買真正的文物，不要古玩。」並指派文化部社會文化事業管理局副局長王冶秋、故宮博物院院長馬衡和上海文物管理委員會副主任委員徐森玉，到香港鑒別「二希」的真偽和洽購。經確定是「二希」原件後，以港幣四十五萬元收購。於是，《中秋帖》和《伯遠帖》重回北京，歸於故宮博物院收藏。

說到三希堂書法，還有三希堂法帖。乾隆帝酷愛書法，如癡如迷。他親自主持，命皇五弟和親王弘晝總管，將宮中珍藏歷代書法名跡，編成《三希堂法帖》。這部法帖，摹刻自魏晉至明末一百三十五位書法名家的墨跡，敕選精工，鉤摹上石，共四百九十五塊刻石，鑲嵌在北海閱古樓的牆壁上。至今完好無損，成為書苑珍品。其拓片影印成書，古帖流傳，嘉惠藝林。

綜上，養心殿三希堂珍藏的王羲之《快雪帖》、王獻之《中秋帖》、王珣《伯遠帖》是中華書法史上劃時代的里程碑。「三王」之所以成為大書法家，由於他們有共同的因緣——風濤的時代，風光的家族，風雲的閱歷，風節的品格，風韻的豪情，風采的書藝。

第三十二講 養心輓歌

歷史因緣，六始六終，輪迴巧合，令人遐思：順治六歲始，宣統六歲終；睿王攝政始，醇王攝政終；孝莊懿政始，隆裕懿政終；皇后葉赫始，皇后葉赫終；八王議政始，御前會議終；太祖撫順起兵始，末帝撫順監獄終。

養心殿裏奏響了大清皇朝壽終正寢的輓歌。

△

清朝在養心殿裏發生了三場多幕悲局，這就是四位幼帝——順治帝、同治帝、光緒帝和宣統帝，三位太后——慈安太后、慈禧太后和隆裕太后，三位親王——恭親王奕訢，醇親王奕譞和載灃，將大清輪船駛向沉沒的悲局。本講就介紹這三場九幕歷史人物的歷史悲劇。

△

悲劇發生的場景，主要在養心殿東暖閣和後寢殿。養心殿東暖閣，東西分為東次間和梢間，南北分為前室和後室。前室靠窗為炕，因有御書「明窗」匾而得名。雍正時宮裏有了進口玻璃。在窗當中安一小塊方玻璃，其餘糊高麗紙。這塊小玻璃透明，從屋裏能看到外面，稱作「玻璃眼」。雍正帝開始，皇帝元旦在這裏新春開筆，書寫「福」、「吉祥」，賜字時從上拖到下，象徵受賜的人全身都是福，全身都吉祥。東牆朝西設前後寶座，以黃紗簾相隔，為垂簾聽政之處——簾前寶座上先後坐過同治帝、光緒帝，簾後寶座上坐的是慈安太后、慈禧太后。現仍保留着慈禧垂簾聽政的原狀。這裏有康熙帝訓誡子孫的語錄：「不可為近名邀利之舉，不可用一己偏執之見」；「采群言以廣益，合眾志以成城」。後寢殿的體順堂因住慈安太后，燕喜堂因住慈禧太后而著名，自然也會引遊人憑窗一窺。

一　四位幼帝

在養心殿的東暖閣，先後有清朝五位幼帝中的四位幼帝——除康熙帝之外的順治帝、同治帝、光緒帝和宣統帝，在這裏演出了悲劇。其中順治帝和同治帝都因天花，死在養心殿東暖閣裏間的龍床上。

死在養心殿東暖閣的順治帝和同治帝很有意思，他們有八個共同點：都是六歲登極，皇叔親王攝政，少年任性，怠於學習，患上天花，青年離世，死在養心殿，也都是悲劇結局。

我算了一下：清朝在北京十位皇帝，有七位死在皇宮以外：康熙帝死在暢春園清溪書

養心殿東暖閣（林京　攝）

屋，雍正帝死在圓明園，嘉慶帝死在承德避暑山莊煙波致爽殿，道光帝死在圓明園慎德堂，咸豐帝死在承德避暑山莊煙波致爽殿，光緒帝死在西苑（今中南海）瀛台涵元殿，宣統帝后為平民則死在北京醫院。其餘三位：順治帝、乾隆帝和同治帝都死在養心殿。

順治帝是清入關後第一位皇帝，定鼎中原，奄有天下，其功過得失，我在《正説清朝十二帝》裏講過。但是，近八年來，我無論走到哪裏，在南方或北方，在大陸或台灣，在國內或國外，都經常被同樣的一個問題提問：順治帝是得天花死了，還是出家了？

我可以肯定地説：順治帝是在養心殿裏因天花病死的。還是有人不信，我就列舉史實，略作説明。

為甚麼廣大讀者普遍認為順治帝出家了呢？這同他信佛有關。順治十四年（一六五七年），在太監精心安排下，二十歲的順治帝在京師宣武門內海會寺，同憨璞聰和尚見面，兩人晤談，禪心相印。隨後順治帝召憨璞聰入宮。順治帝又在西苑（今中南海）萬善殿，召見憨璞聰和尚，請教佛法，並賜以「明覺禪師」封號。順治帝對佛法愈修愈虔，愈信愈誠。他還召見玉林琇、木陳忞、茆溪森等和尚，讓他們在宮裏講經説法。順治帝請玉林琇為他起法名，他選了個「癡」字，於是取法名「行癡」、法號「癡道人」。玉林琇稱讚順治帝是「佛心天子」，順治帝在這些和尚面前自稱弟子。

順治帝有剃度出家的念頭。有一次他對木陳忞説，朕想前身一定是僧人，所以一到佛寺，見僧家窗明几淨，就不願再回宮裏。要不是怕皇太后掛念，我就要出家了！在愛妃董鄂氏死後，他萬念俱寂，想要遁入空門。有記載統計，他在兩個月裏，先後三十八次到高僧禪舍，相訪論禪，徹夜交談，沉迷於佛的世界。順治帝命茆溪森和尚為自己淨髮，要放棄皇位，身披袈裟，孑身修行。茆溪森開始勸阻，順治帝不聽，只好為他剃髮。這一下皇太后着急了，火速叫人把茆溪森的師父玉林琇召到京城。玉林琇到北京後見到弟子茆溪森為當今皇上剃髮，立即命人架起柴堆，要燒死茆溪森。順治帝見此情景，萬般無奈，表示不出家了。

順治帝是個任性、脆弱、多情、善感的少年天子。他接連受到悲情打擊：愛子夭折，愛妃死亡，乳母病故，自殺未遂，出家不成，極度憂傷下精神備受折磨，他骨瘦如柴的身體驟然垮了！董鄂妃死後剛過百天，「癡情天子」順治帝，因患天花，醫治無效，崩於養心殿。據有的書記載，順治帝就是死在養心殿東暖閣裏間掛帷帳的龍床上。

順治帝是死於天花，不是出家了，這有根據嗎？有。

第一，正史記載。順治十八年（一六六一年）正月「丁巳（初七日）夜子刻，上崩於養心殿」（《清世祖實錄》卷一四四）。

第二，宮廷佐證。因順治帝患天花，清廷禁止民間炒豆。

第三，直接筆證。順治帝病危時，翰林院掌院學士王熙起草《遺詔》。《王熙自定年譜》記載了這件事情：順治十八年正月初二日，順治帝突然病倒，病情嚴重。第二天，召王熙到養心殿。初六日子夜，又召王熙到養心殿，說：「朕患痘，勢將不起。爾可詳聽朕言，速撰詔書。」王熙退到乾清門下西圍屏內，根據順治帝的口授撰寫《遺詔》，寫完一條，立即呈送。一天一夜，三次進覽，三蒙欽定。《遺詔》到初七日傍晚撰寫並修改完畢。當夜，順治帝就去世了。

第四，遺體火化。順治帝臨終諭將火化遺體：「祖制火浴，朕今留心禪理，須得秉炬法語……」茆溪森和尚圓寂前作偈語說：「大清國裏度天子，金鑾殿上說禪道！」

第五，景山秉炬。順治帝死後遺體被火化，由茆溪森和尚主持。四月十七日，茆溪森和尚在景山壽皇殿，為順治帝遺體秉炬火化。茚溪森為順治帝圓寂法事後，其門人超德等編《明道正覺茚溪森禪師語錄》，書中記載了有關的事。

第六，典籍記述。《五燈全書》引茚溪森語錄云：世祖遺詔，召師茚溪森至景山壽皇殿秉炬，曰：釋迦涅槃，人天齊悟。先帝火化，更進一步。顧左右曰：壽皇殿前，官馬大路。遂進炬。

第七，《遺詔》為證。順治帝的《遺詔》十四條，像臨危病人的遺言，而不像出家前的留言。

第八，五台反證。康熙帝奉孝莊太皇太后到五台山，是在康熙二十二年（一六八三年），他先去探路，後奉太皇太后前去，但「太皇太后以道險回鑾」，康熙帝登上五台山。這啟發人們思考：母親看兒子、兒子看父親，怎麼會是在順治帝「出家」二十二年後才去呢？顯然不近情理。

不僅順治帝死於天花，同治帝也死於天花。同治帝六歲繼承皇位，十八歲親政，第二年就死在養心殿東暖閣裏間的龍床上，年十九歲。繼位的是四歲的載湉，就是光緒皇帝。

此外，還有一位幼帝就是宣統皇帝溥儀。三歲登極，太后和親王輔政。於是，晚清出現著名的三位太后。

二 三位太后

養心殿東暖閣是晚清半個世紀朝廷權力中心。養心殿東暖閣發生清宮慈安太后、慈禧太后和隆裕太后的故事。

咸豐十一年（一八六一年），咸豐帝在避暑山莊煙波致爽殿病死，六歲的載淳即位，就是同治帝。皇后鈕祜祿氏和懿貴妃葉赫那拉氏並尊為皇太后，就是慈安皇太后和慈禧皇太后，俗稱東太后和西太后。這時慈安太后二十五歲，慈禧太后二十七歲，恭親王奕訢三十歲。慈安太后、慈禧太后與恭親王奕訢共同發動宮廷政變，處置顧命八大臣，奪取政權，因是辛酉年在北京發生的政變，所以史稱「辛酉政變」或「北京政變」。通過政變奪得政權，實行兩宮太后垂簾聽政之制。但是，清朝宮廷規定，後宮不能干政。孝莊太后那麼老的資格（五朝），那麼高的

慈禧皇太后（1903 年）

地位，也只是在慈寧宮訓政，而沒有在前台執政。兩宮太后不顧祖制，在養心殿垂簾聽政。雖然垂簾聽政曾有歷史先例，但這在清朝是改變祖制的大事。

垂簾聽政是新事物，兩宮太后也在學習。如慈安、慈禧兩太后命南書房、上書房的翰林，將歷代帝王執政及前史垂簾的事跡，選取可為法戒的內容，簡明注釋，匯冊進呈。於是禮部侍郎張之萬等匯纂成書，賜名《治平寶鑒》（《清穆宗實錄》卷二十三）。翁同龢在簾前向兩宮太后講《治平寶鑒》。光緒年間，南書房翰林編撰《書經圖説》，將《尚書》編成圖文並茂的書，排日進講，書成頒行。

垂簾聽政，就是小皇帝同治或光緒，被抱在養心殿的寶座上，像個木偶似地坐着，後面坐着慈安太后和慈禧太后（慈安太后死後為慈禧太后一人），皇帝和太后之間，被一道黃色簾子隔着，大臣們啟奏軍政國事，太后隔着簾子發佈指示，就是懿旨，議政大臣或攝政大臣、軍機大臣或大學士，則聆聽太后的訓示。

從此，每日召見議政王、軍機大臣等，內外章奏，太后覽閱，大臣擬旨，翌日進呈，以帝名義，頒示中外。兩太后垂簾聽政十二年，後歸政同治帝，但同治帝親政一年即病死。又以同治帝堂弟、慈禧太后內侄、四歲的載湉繼承皇位，這就是光緒帝。於是，兩太后繼續垂簾聽政。光緒七年（一八八一年），慈安太后死，慈禧太后獨攬朝綱。慈禧太后從咸豐十一年（一八六一年）垂簾聽政，到光緒三十四年（一九〇八年）死去，實際總攬清朝政權達四十八年之久。

在中國近代史上，在晚清半個世紀裏，主要是慈禧太后掌控朝綱，主宰大清國運，這不僅是清朝的一場悲劇，而且是中華的一場悲劇。

慈禧太后當權近半個世紀，清朝對外簽約、割地、賠款、屈辱，對內壓迫、搜刮、專制、屠殺，中國陷入五千年文明史上最黑暗的深淵。影響中國近代歷史進程的許多重要人物、重大事件，幾乎都與養心殿、西太后有直接或間接的聯繫。具體説來，慈禧有「八個不該」。

慈禧「八個不該」是：一不該對議政王奕訢用之招來，否則棄去；二不該對同治帝過於放縱，戀權不交；三不該選擇四歲的載湉繼位，重血緣而輕社稷；四不該一再推遲光緒帝大婚，戀權而不還政；五不該發動戊戌政變囚禁光緒帝，影響近代化進程；六不該用義和拳反洋人，釀成八國聯軍入侵大禍；七不該「量中華之物力，結與國之歡心」（《清德宗實錄》卷四百七十七）；八不該懿旨三歲的溥儀為幼帝國主，重私權、輕國器，而無視世界民主之潮流。總之，以慈禧太后為代表的清廷保守頑固腐朽勢力，拒絕政體改革，加速清朝覆亡。晚清滿洲特權貴族一夥是阻擋中華歷史車輪前進的罪人！

清朝從雍正帝開始，皇帝寢宮在養心殿後殿，東西五間，一字排開。寢宮的陳設，在同治帝時多至七百二十四件，富麗堂皇，奢靡豪華。寢宮的正間，設坐炕一鋪，中為桌案，兩側設座椅。皇帝的「龍床」，分置在東西兩梢間：一在東梢間，屋裏通體鑲嵌着玻璃水銀鏡；另一在西梢間，屋內安着碧紗槅扇。夜間兩屋的床幔同時放下，以防不測。寢宮東側的體順堂，是皇后在養心殿和皇帝共同生活的寢室，慈安太后在此居住過；西側的燕喜堂，是妃嬪侍寢的臥室，慈禧太后在此居住過。一般妃嬪侍寢的值房，在體順堂和燕喜堂的東西圍房。

清宮最後一位皇太后是隆裕太后，她的悲劇不僅表現在婚姻不如意，中年守寡，而且表現在撫育幼帝，簽署《遜位詔書》。

前述四位幼帝，三位太后，必然出現三位親王輔政。

三 二位親王

養心殿東暖閣是清末二位親王輔政悲劇的歷史見證。養心殿見證了清朝嘉（慶）、道（光）、咸（豐）衰落，同（治）、光（緒）、宣（統）覆亡的歷史，隆裕太后《遜位詔書》，則是在養心殿簽署的。

咸豐帝三十一歲病死，其後三帝同治帝六歲、光緒帝四歲、宣統帝三歲做大清的國主，三位寡婦慈安、慈禧、隆裕做大清的主宰，三位親王輔政，其中恭親王奕訢下文會詳細介紹。另兩位窩囊親王醇親王奕譞和他的兒子醇親王載灃，執掌大清的朝綱。皇權掌握在這三個孩童、三個寡婦、兩個親王手裏，這就表明：清朝氣數已盡，清廷大廈傾覆，清帝皇權結束，已為歷史定數。在清末民初的日曆上，有三個重要的日子：

宣統三年八月十九日（一九一一年十月十日），同盟會組織武昌新軍起義，起義軍成立湖北軍政府，黎元洪為都督。隨之，湖南等十三省相繼回應，宣佈獨立，清政府迅速解體。不久，各省代表到南京開會，推選孫中山為臨時大總統，決議改用西曆紀年。本年為辛亥年，史稱這年的鼎革之變為「辛亥革命」。辛亥革命敲響了清王朝的喪鐘。

宣統三年十一月十三日（一九一二年一月一日），孫中山在南京就任中華民國臨時大總統，宣告中華民國成立。此間，袁世凱與孫中山密商，孫中山許袁世凱繼任大總統。

宣統三年十二月二十五日（一九一二年二月十二日），以宣統帝奉隆裕太后懿旨的名義，頒佈宣統皇帝《遜位詔書》，宣告清朝退出歷史舞台。從此，結束了二百六十八年的清朝統治，也結束了中國兩千多年的帝制。

《遜位詔書》[1]由張謇幕僚楊廷棟捉刀（或說張謇、楊度、雷季馨起草）。楊廷棟，清末舉人，曾留學日本。歸國之後，以其知識淵博、思維敏捷、文筆流暢、胸有城府，而為張謇所器重。廷棟受命起草詔文後，經張謇潤色，袁世凱審閱，隆裕太后發佈。《遜位詔書》最後說：「予與皇帝得以退處寬閑，優遊歲月，長受國民之優禮，親見郅治之告成，豈不懿歟！」一代皇朝之終結，中華兩千年帝制之終結，三十二個字，說得如此之輕鬆，如此之清雅，極致文思，頗為得體，可謂大格局，亦為大手筆！清廷和民國各做妥協，和平協商，實現過渡，是有利於中華的善舉，也是值得肯定的智慧。

覆巢之下，焉有完卵。同、光、宣三皇帝，慈安、慈禧、隆裕三太后，恭親王奕訢、醇親王奕譞、醇親王載灃三親王，都是養心殿輓歌的作者、悲劇表演者，也都是大清朝的殉葬品。清末最高執政層有五個特點：一是君主六歲無知孩童；二是攝政王載灃庸懦；三是皇太后柔弱；四是宣統三年（一九一一年）軍機大臣四人、立憲內閣四人，其中各有三人為滿洲貴族；五是慶親王、

1 宣統皇帝《遜位詔書》文曰：前因民軍起事，各省回應，九夏沸騰，生靈塗炭。特命袁世凱遣員，與民軍代表，討論大局。議開國會，公決政體。兩月以來，尚無確當辦法。南北睽隔，彼此相持。商輟於途，士露於野。徒以國體一日不決，故民生一日不安。今全國人民心理，多傾向共和。南中各省，既倡議於前，北方諸將，亦主張於後。人心所向，天命可知。予何忍因一姓之尊榮，拂兆民之好惡。是用外觀大勢，內審輿情，特率皇帝將統治權公諸全國，定為立憲共和國體。近慰海內厭亂望治之心，遠協古聖天下為公之義。袁世凱前經資政院選為總理大臣，當茲新舊代謝之際，宜有南北統一之方，即由袁世凱以全權組織臨時共和政府，與民軍協商統一辦法。總期人民安堵，海宇乂安。仍合滿、漢、蒙、回、藏五族完全領土為一大中華民國。予與皇帝得以退

首席軍機大臣、內閣總理大臣奕劻，為乾隆帝第十七子永璘後裔，奸猾無能，貪婪納賄，奢侈揮霍，漁色無度，過生日時收某人賄銀十萬賣官，將私產一百二十萬交東交民巷英國滙豐銀行收存（《清史稿》卷二百二十一）；六是皇家載灃、載洵、載濤等庸輩掌控實權。這樣一個大清樞密核心，不可能進行體制改革，也不可能走向共和，只有一條路可走：清朝滅亡，結束帝制。

這個歷史教訓，就是「率祖舊章」，通俗地說就是「祖宗之法不可變」。當年清朝「二祖一宗」清太祖努爾哈赤、太宗皇太極、世祖福臨，靠八旗制度打天下，這是其成功的樞機，也是其勝利的保證。基本歷史經驗正如《周易》所說：「天行健，君子以自強不息；地勢坤，君子以厚德載物。」晚清，他們既忘天，也忘地。為甚麼說忘了天呢？清朝開國兩位君主的年號不是「天命」、「天聰」嗎？這個「天」，今人理解，就是司馬遷「究天人之際，通古今之變」的「天時」，就是《老子》所說「動善時」的「天時」，也就是當下所說的「與時俱進」的「天時」。他們卻故步自封，不求圖新。為甚麼說忘了地呢？清朝末世的四位君主、三位太后、二位親王，

處寬閑，優遊歲月，長受國民之優禮，親見郅治之告成，豈不懿歟！

沒有「厚德載物」，只考慮愛新覺羅宗室與貴族的利益，而不顧及四萬萬民眾的利益。水能載舟，亦能覆舟。最後，他們因不能與時俱進，不能棄舊圖新，不能改革八旗制度，不能割捨貴冑特權，而被歷史拋棄，被天地拋棄，被民眾拋棄，被時代拋棄。

歷史因緣，六始六終，輪迴巧合，令人遐思：順治六歲始，宣統六歲終；睿王攝政始，醇王攝政終；孝莊懿政始，隆裕懿政終；皇后葉赫始，皇后葉赫終；八王議政始，御前會議終；太祖撫順起兵始，末帝撫順監獄終。

養心殿裏奏響了大清皇朝壽終正寢的輓歌。

第三十三講 東西六宮

以後三宮為主體、東六宮和西六宮為兩翼的帝后生活區，眾多后妃、太監、宮女，她（他）們生命的圭臬是：唯以一人治六宮，皆以六宮奉一人。嘉靖帝祖母興獻后說：「女子入宮，無生人樂。」在這裏上演了一幕幕後宮的悲喜劇——雖有后妃的豐衣足食，更有她們的孤燈長夜；雖有妃嬪短暫的青春歡笑，更有她們無盡的悲苦淚水。東西六宮既是帝制時代君主的天堂，更是高牆之內妃嬪的煉獄。

明清皇宮的後宮，最尊貴的部分是位於中軸線上的後三宮，即乾清宮、交泰殿和坤寧宮。明朝皇帝住乾清宮，皇后住坤寧宮，但清朝從雍正帝開始住養心殿，而皇后只在大婚時住坤寧宮三天，其餘時間也不住坤寧宮。清朝皇后住在哪裏？明清皇帝眾多妃嬪住在哪裏？主要是住在東、西六宮。《清宮詞》說：「長街深邃列西東，綺館椒庭署後宮。答應更兼常在號，漢家增級位須同。」本講從東、西六宮佈局開始介紹。

一 六宮佈局

打開故宮平面圖，可以清晰地看到，在後三宮的東西兩側，各有六組宮院，像棋盤格一樣，左右對稱，整齊排列，彼此封閉，自成院落。這十二組宮院，沒建在高台上，所以比後三宮低矮，各宮院建築體量，也明顯小於後三宮。這十二組宮院就是東六宮和西六宮。

東六宮的格局：在後三宮的東側，有一條南北走向的長街，因在東面第一街，故稱為東一長街。長街東側，由南而北，佈列着三組院落，即景仁宮、承乾宮、鍾粹宮。再往東，又有一條南北走向的長街，稱東二長街（光緒帝少時曾在長街學騎馬）。長街東側，由南而北，也佈列着三組院落，即延禧宮、永和宮、景陽宮。合起來東邊共有六座宮院，就是東六宮。

西六宮的格局：在後三宮的西側，同樣有一條南北走向的長街，因在西面第一街，故稱為西一長街。長街西側，由南而北，佈列着三組院落，即永壽宮、翊坤宮、儲秀宮。再往西，又有一條南北走向的長街，稱西二長街。長街西側，由南而北，也佈列着三組院落，即太極殿（啟祥宮）、長春宮、咸福宮。合起來西邊共有六座宮院，就是西六宮。西六宮院，清既承明制，又有所改動。如儲秀宮和翊坤宮，前後院開通，拆除儲秀門，改建體和殿。又如啟祥宮改為太極殿，長春宮和太極殿，也前後開通，拆除長春門，改建體元殿。

東西六宮的名稱，自明永樂年間確定後，在嘉靖朝做過改變，後來鮮有改變，清朝沿襲了明朝後期的宮名。

東西六宮，建築格局，佔地面積，大體相同。每座宮院，佔地深廣各五十米，面積約二千五百平方米，四圍院牆，形成四合院落。院內格局，宮門居中，分前後兩進院——前院，正殿面闊五間（景陽宮和咸福宮各減為三間），黃琉璃瓦歇山式頂，東西各有配殿，均為三間。兩山設卡

鳥瞰西六宮（林京　攝）

牆便門，通往後院。後院，後殿面闊五間，兩側有耳房，東西配殿，也各三間，均為黃琉璃瓦硬山式頂。院裏有井一眼、井亭一座。

東西六宮有兩個特點：一是向心性強。東西六宮十二座宮院重心都朝着一個方向，就是後三宮。二是宮禁森嚴。牆院高深，各自獨立，庭院深深，門戶重重，彼此隔離，私密性強。我數了一下：東西六宮主要的門現有四十一座，夜間每座宮門、每道長街門是關閉的。門的名稱，寄託着皇家的期待：有祈子的，如百子門、千嬰門、螽斯門；有祈福的，如長康門、迎祥門、增瑞門等。

東西六宮除建築佈局之外，還有四個「統一」。

其一，統一匾額。乾隆六年（一七四一年），乾隆帝為這十二座宮院題寫匾額，並頒諭旨：「御筆匾十一面，著掛於十二

鳥瞰東六宮（林京　攝）

宮。其永壽宮現在有匾。此十一面匾，俱照永壽宮式樣製造。自掛之後，至千萬年不可擅動，即或嬪妃移住別宮，亦不可帶往更換。」

其二，統一傢俱。十二座宮院，各設三屏峰照壁一座（紫檀木邊座漆心染牙竹林飛鳥五屏風），地平一分，隨氈寶座一分（紫檀雕花寶座），隨褥銅爐瓶一分，隨香几一對（紫檀），銅用端爐一對，隨香几一對，銅垂恩香筒一對（琺瑯亭式香筒），銅火盆一對，大櫃一對，大案一對，隨陳設六件（《欽定宮中現行則例》）。又諭旨：十二宮陳設器皿等件，佈置停妥，永遠不許移動，亦不許收貯。

其三，統配門神。塑造將軍或福判、仙童、鍾馗各成對偶，高二尺許，用金彩裝畫如門神，黑面黑手，名曰「彩妝」。每年於十二月二十四日，安於宮殿各門兩旁，至次年二月初二日抬回本廠，修補裝新，明年再用。魏忠賢擅政時，各增大到八九尺或丈餘，穿上真正綾羅綢絹，佩帶真正弓矢，鬚眉直豎，猛惡如生，所費昂貴。

其四，統發《宮訓圖》。乾隆間，以古代著名后妃美德為範本，繪《宮訓圖》十二幅，遇年節張掛，事畢收藏於景陽宮的學詩堂（《養吉齋叢錄》）。配贊四言十二句，讚揚榜樣后妃美德，告誡后妃永遠效法。《清宮詞》云：「瑤星坤極靄祥光，宮訓圖成十二章。歲歲春朝重展現，雲縑（雙絲的細絹）深護學詩堂。」[1]

明清五百年間，在進入東西六宮之前，后妃們是怎樣被選進宮裏的呢？

二 選妃選秀

明代后妃的挑選分兩種情況。其一，太子或皇子選妃，由皇后或太后在官員或其他殷實家庭中選擇，為嫡妃或側妃，太子或皇子繼承皇位後即冊封為皇后或貴妃或妃嬪。其二，皇帝后妃的選擇，在貴族或官員或殷實家庭中選擇，冊立為皇后、妃、嬪等。而後，妃嬪的選擇，不定期地由貴族、官員、殷實人家的淑女中挑選，也在宮女中挑選。如嘉靖帝的「九嬪」就是從各地淑女海選中，層層挑選，最後由皇太后和皇帝確定的（《明世宗實錄》卷一百二十二）。

明朝皇帝為「慎選淑女，以求廣嗣」，在全國廣泛選擇淑女，以備充實後宮。如明嘉靖朝，在九年（一五三〇年）十一月，奉旨「采選淑女於京城內外，得一千二百五十八人」（《明世宗實錄》卷一百十九）；十五年（一五三六年）五月，戶部主事賈士允等奉命「還取山東、河南、北直隸（今河北一帶）等地方淑女劉氏等八十八人到京，詔由東華門引入大內」（《明世宗實錄》卷一百八十七）；十九年

1 《十二宮訓圖》及其宣揚的女性美德是：（一）景仁宮《燕姞夢蘭圖》（願景），（二）承乾宮《徐妃直諫圖》（忠直），（三）鍾粹宮《許后奉案圖》（尊老），（四）延禧宮《曹后重農圖》（勤勞），（五）永樂宮《樊姬諫獵圖》（勸諫），（六）景陽宮《馬后練衣圖》（節儉），（七）永壽宮《班姬辭輦圖》（知禮），（八）翊坤宮《昭容評詩圖》（讀書），（九）儲秀宮《西陵教蠶圖》（創新），（十）啟祥宮《姜后脫簪圖》（相夫），（十一）長春宮《太姒誨子圖》（教子），（十二）咸福宮《婕妤當熊圖》（勇敢）。

（一五四〇年）五月，「詔選京城內外淑女一百名」（《明世宗實錄》卷二百三十七）。僅以上三次，共選取淑女一四四六人。這些人進入皇宮，再經過嚴格挑選後，有的明確記載成為嬪，其餘是留在宮裏做宮女，還是發送回家，史料記載不詳。又據載：嘉靖三十一年（一五五二年）冬，命京師內外選女八歲至十四歲者三百人入宮（沈德符《萬曆野獲編》）。做甚麼呢？嘉靖帝信方術，為采經血，煉取丹藥，求長生而用。

再舉天啟帝選淑女的事例。據史書記載，天啟元年，天啟帝將舉行大婚，先期選天下淑女十三歲至十六歲者，集京師者五千人。他們經過嚴格篩選：先

待選中的包衣秀女（二十世紀二十年代）

是，分遣太監初選，每百人一組，內監觀察其高、矮、胖、瘦，遣歸者千人；繼是，太監察視淑女的耳、目、口、鼻、髮、膚、腰、領、肩、背、聲音等，有一項不合法相者，去之，去者復二千人；又是，由太監拿量器，測量女子的手足，量畢復使周行數十步，以觀其手度等，淘汰者復千人。再是，遣老宮娥引淑女到密室，探其乳，嗅其腋，捫其肌理，入選者得三百人。後是，在宮中考察其性情、詩書、修養等，入選者僅五十人。（紀昀《明懿安皇后外傳》）從海選得到的五千人，再經過多次篩選，最後選中五十人，真可謂百裏挑一。

清朝后妃的選擇，也是有兩種情形。其一，皇子的嫡福晉和側福晉，由皇帝和皇后、皇太后指定，皇子繼承皇位後，嫡福晉冊為皇后，側福晉冊為妃。其二，原是幼帝的如順治、康熙、同治、光緒、宣統，其大婚的后妃是由皇太后或太皇太后在貴族和官員女兒中挑選的。而後，妃嬪的主要來源是秀女。皇帝選看秀女的規定，分為兩類：

一類是，每三年一次，按例引看八旗秀女，經奏准欽定選看秀女的時間和地點。屆時，由宮殿大太監率領各處太監，引領秀女，進行選看，然後引出，分別賞給飯食和車馬銀。所選取的八旗秀女，分別作為妃、嬪、貴人等的候選人，或者給近支宗室子弟指婚。

二類是，每年一次，按例引看內務府所屬內佐領下的秀女，經奏准欽定選看秀女的時間和地點。屆時，由宮殿大太監率領各處太監，引領秀女，進行選看，然後引出，分別賞給飯食和車馬銀。每年一次所選內務府所屬的秀女，則補充為內廷各主位下隨侍的宮女。宮女到二十五歲遣還本家，任憑婚嫁。以上兩方面十三歲以上秀女，經選驗未中者可聘嫁，未經選閱者一律不准私自婚聘，違者嚴加議處。

后妃選入宮中，入住東西六宮。龐大複雜的後宮，是怎樣管理的呢？

三　后妃管理

中國歷代帝王，規定后妃管理制度，大體相同，各有差異。自秦到清，歷代君王，通過迎娶人數眾多的嬪妃，既為了滿足皇帝淫欲，也為了繁盛子孫，於是有三宮六院七十二妃的說法，並有後宮佳麗三千的傳說。皇帝后妃到底有多少人？是怎樣管理的？

明太祖朱元璋當上皇帝後，要大臣研究歷代後宮制度。大臣奏報說：「周制，後宮設內官以贊內治。漢設內官一十四等，凡數百人。唐設六局二十四司，官凡一百九十人，女史五十餘人，皆選良家女充之。」（《明史．后妃傳》卷一百一十三）朱元璋認為上述人數太多，當朝應比唐朝減少一百四十餘人。實際上後宮妃嬪有多少，誰也說不清，許多皇帝也說不清楚。

開國立規，非常重要。朱元璋鑒於前代女禍，他採納翰林學士朱升的奏議，說：「治天下者，正家為先。正家之道，始於謹夫婦。」怎樣做呢？立綱紀，嚴內教：第一，后妃母儀天下，不可干預政事。明朝沒有出現太后垂簾聽政的事。第二，規定后妃職責，服侍皇帝宮寢。第三，制定鐵質飾金紅牌，鐫刻戒諭后妃紀律，懸於各宮。第四，自后妃以下至嬪御等，衣食、器用、金銀等供應，都按級別施行供給制。第五，禁止內外書信交往，有則論死。所以，「終明之代，宮壼（指內宮）肅清，論者謂其家法之善，超軼漢、唐」（《明史．后妃傳》卷一百一十三）。明朝的後宮，有兩個特點：沒有出現母后專權和外戚專權的亂象。

后妃史料，少之又少。譬如清孝莊太皇太后，身歷天命、天聰、崇德、順治、康熙五朝，享年七十五歲，兩輔幼主順治帝和康熙帝，《清史稿．孝莊文皇后傳》才只有九百四十一個字。

又如康熙帝的妃子，有的只有六個字記載：「陳氏，子一，常寧。」還有四個半字的記載：「張氏，女一。」那「半」個字是怎麼回事呢？因為連着記載四個沒有名號的生女兒的，這些女兒「皆殤」，都早死，四個人僅用兩個字，平均每人半個字，所以平均每人「四個半字」。妃嬪如果沒有生育子女，又沒有特殊事跡的，則一字不記。《明史·后妃傳》說：只記載位居正號的后妃，或有特殊事情發生過的妃嬪，否則不記。

制定宮規，嚴格管理。清朝制定《欽定宮中現行則例》，長達八百二十八頁。后妃管理基本上是「四定」：這就是定編制、定級別、定待遇、定規矩。

其一，定編制。明朝后妃不定編，但清朝定編。清朝康熙以後，後宮典制大備。規定皇后一人，皇貴妃一人，貴妃二人，妃四人，嬪六人，貴人、常在、答應、學生無定數，分居東西六宮（《清史稿·后妃傳》卷二百十四）。當時叫作「名分」，其實嬪以下的等級名分，並不嚴格，也有變化。清朝后妃最多的是康熙帝和乾隆帝。康熙帝有記載的四十一人，乾隆帝有記載的二十九人。最少的是光緒帝，只有一后（葉赫那拉氏）、二妃（瑾妃和珍妃）。東西六宮中每一座宮院，有一個正位，或皇后，或皇貴妃，或貴妃等。其他妃、嬪、貴人、常在等按照等級，分住東西配殿等房間。皇帝一般是不到六宮就寢的。侍寢的妃嬪，要到皇帝的寢宮，如乾清宮東暖閣、養心殿後寢殿等，侍寢後回到自己原住的宮院。

其二，定級別。明朝的后妃，分十四等級：皇后、皇貴妃、貴妃、嬪、才人、婕妤、昭儀、美人、昭容、選侍、淑女等名分或等級，但各朝有變化，不是一成不變。

六宮配置，主要一是人，二是物。先說人，後說物。

妃嬪的服侍人員，主要是太監和宮女。太監，每宮配置首領太監二名（八品侍監），每月銀四兩，米四斛，公費銀七錢三分三厘；太監十二名，每月銀二兩，米一斛半，公費銀六錢六分六厘。他們的職責是「本宮陳設、灑掃、承應傳取、坐更等事」（《國朝宮史》卷二十一）。其太監和宮女的配置，參見下表：

級別	**設太監（人）**	**設宮女（人）**
皇后	十二	十
皇貴妃	十二	八
貴妃	十二	八
妃	十	六
嬪	八	六
貴人	四	四
常在	三	三
答應	一	二

其三，定待遇。后妃待遇，有嚴格的等級。她們吃飯、穿衣、喝茶、零用等開銷，都是按級別實行供給制。自皇后至答應，她們的工資稱為「宮分」，級別差異，非常之大。我以皇后和常在為例做個介紹。

皇后宮分：

每年：銀一千兩，大卷江綢二匹，妝緞四匹，倭緞四匹，閃緞三匹，金字緞二匹，雲緞七匹，衣素緞四匹，藍素緞二匹，帽緞二匹，楊緞六匹，宮綢二匹，紗八匹，裏紗八匹，綾八匹，紡絲十二匹，杭細八匹，綿綢八匹，高麗布十匹，三線布五匹，毛青布四十匹，粗布五匹，金線二十綹，絨十斤，棉花線六斤，棉花四十斤，裏貂皮四十張，烏拉貂皮五十張。

每日：盤肉用豬肉一百六十六斤，羊肉一盤，小牲口二只，新粳米一升八合，黃老米一升三合五勺，高麗江米一升五合，粳米麵一斤八兩，白麵七斤八兩，麥子粉八兩，豌豆菜三合，白糖一斤，盆糖四兩，蜂蜜四兩，核桃仁二兩，松仁一錢，枸杞二兩，曬乾棗五兩，豬肉九斤，豬油一斤，香油一斤六兩，雞蛋十個，麵筋十二兩，豆腐一斤八兩，粉鍋渣一斤，甜醬一斤六兩

1 明代宮中有管理用柴炭的機構，地址在皇城西安門外迤北的紅籮廠。宮中所用的紅籮炭，由易州（今河北易縣）一帶山中，砍伐硬木燒成。先運到紅籮廠，按尺寸鋸截，每根長約一尺，圓徑二三寸不等，編小圓紅荊條筐盛之，故名「紅籮炭」。按規定數發到宮中各處。紅籮炭如經伏雨淋濕，着火氣太熾，多能使人眩暈、昏迷發嘔，嬰幼皇子皇女或中此毒一一夭折。這可能是一氧化碳中毒，古人不明其中道理。

五錢，青醬一兩，醋二兩五錢，鮮菜十五斤，茄子二十個，王瓜二十條，三兩重白蠟一支，一兩五錢重白蠟四支，一兩五錢重黃蠟四支，一兩五錢重羊油蠟十支，羊油更蠟一支（夏例五兩，冬例十兩），紅籮炭夏例十斤、冬例二十斤，黑炭夏例五十斤、冬例六十斤。[1]

常在宮分：

每年：銀五十兩，大卷八絲緞一匹，大卷五絲緞一匹，雲緞一匹，衣素緞一匹，藍素緞一匹，春綢一匹，宮綢一匹，紗一匹，綾一匹，紡絲二匹，棉花三斤。

每月：小牲口五只，羊肉十五盤。

每日：豬肉五斤，陳粳米一升二合，白麵二斤，白糖二兩，香油三兩五錢，豆腐一斤八兩，粉鍋渣八兩，甜醬六兩，醋二兩，鮮菜六斤，茄子六個，王瓜五條，一兩五錢重黃蠟二支，一兩五錢重羊油蠟一支，黑炭夏例十斤、冬例二十斤。

可以看出，后妃各個級別之間待遇差別很大，這就促使后妃們拚命爭寵，因為只有皇帝才可以提拔自己，才可以讓自己懷孕、生龍育鳳。

待遇的差別不僅是宮分上的差距，而且配給各級別的生活用品（稱為鋪宮）、車輿、服飾等也都有很大差別。以皇后和常在的鋪宮為例：

皇后鋪宮：

玉杯金台盤一份，金執壺二把，金方一件，金盤十五件，金碟六件，金碗五件，金茶盅蓋一個，嵌松石金匙一件，金匙二件，金三鑲牙箸一雙，金雲包角桌二張，銀方一件，銀折盂一件，銀盤三十件，銀碟十件，銀碗十件，銀茶盅蓋八個，銀匙十件，銀三鑲牙箸八雙，銀茶壺三把，銀背壺十三把，銀銚（煎藥器具）二個，銀火壺三把，銀鍋二口，銀罐二個，銀杓三把，銅象鼻提爐一對，銅八卦爐二個，銅手爐二個，銅瓦高燈四個，銅遮燈一對，銅蠟簽十四個，銅剪炷罐六份，銅簽盤五個，銅舀二把，銅簸箕一個，錫盆十個，錫奠池二個，錫茶碗蓋五個，錫茶壺三十把，錫背壺四把，錫火壺二把，錫坐壺八把，錫裏冰箱二個，錫屜鈷二個，鐵八卦爐一個，鐵火爐五個，鐵火罩四個，鐵坐更燈四個，鐵火鏟二把，黃瓷盤二百二十件，各色瓷盤八十件，黃瓷碟四十件，各色瓷碟五十件，黃瓷碗一百件，各色瓷碗五十件，黃瓷盅三百件，各色瓷盅七十件，各色瓷杯一百件，各色瓷渣斗四件，洋漆矮桌二張，各色漆盒二十六副，各色漆茶盤十五件，各色漆皮盤二十五個，戳燈二十個，香幾燈十個，羊角手把燈四把。

常在鋪宮：

銅蠟簽一個，銅剪炷罐一份，銅簽盤一件，銅舀一把，錫茶碗蓋一個，錫茶壺二把，錫銚一個，錫痰罐一個，鍍銀鐵雲包角桌一張，亮鐵鏟一把，五彩紅龍瓷盤二件，各色瓷盤八件，五彩紅龍瓷碟二件，各色瓷碟四件，五彩紅龍瓷碗四件，各色瓷碗十件，五彩紅龍瓷盅二件，各色瓷盅六件，漆茶盤一件，羊角手把燈一把。

即使是待遇最低的答應，也是衣食無憂。但是，她們的錢是不夠用的。比如，過年節、過生日等要給太后、皇后送禮，要給太監、宮女賞錢，這些錢從哪裏來？一是依靠平日積攢的私房錢（小金庫）；二是靠皇帝按例恩賞；三是靠家裏的接濟；四是靠自己女紅創收（通過太監賣出去）；五是皇帝賞錢，如侍寢時皇帝高興給賞銀（小費）等。

其四，定規矩。內廷位次，明確有序。言行舉止，遵守本分。謙恭和順，接上以敬，待下以禮，非本宮的太監、宮女，不可擅自使令。

《欽定宮中現行則例》規定：內廷等位有父母年老者，或一年或數月，奉特旨許令會親者，只許本生父母入宮。其慰問外家，年節許由各宮首領太監奉本主命前往，但不許宣傳內外一切事情。各宮小太監，許於本宮掖門出入。首領太監，無事不許到本主屋內久立閒談。

以上四條對於后妃而言，最重要的是名分、級別。妃嬪的晉級，並不論資排輩，是靠甚麼呢？一靠生育兒子，二靠皇帝喜歡。所以妃嬪們就費盡心機，施展才華，討得皇帝的寵愛和喜愛。妃嬪的最大利益來源，是皇帝的寵愛，因為只有皇帝寵愛才有可能多生育兒子，也只有皇帝寵愛才有可能多受封賜晉升級別，多得賞賜。在一夫多妻制度下，受到皇帝的寵愛更加不易。為此，歷代後宮，都演繹出不少驚心動魄的故事。

以後三宮為主體、東六宮和西六宮為兩翼的帝后生活區，眾多后妃、太監、宮女，她（他）們生命的圭臬是：唯以一人治六宮，皆以六宮奉一人。嘉靖帝祖母興獻后說：「女子入宮，無生人樂。」[1]在這裏上演了一幕幕後宮的悲喜劇——雖有后妃的豐衣足食，更有她們的孤燈長夜；雖有妃嬪短暫的青春歡笑，更有她們無盡的悲苦淚水。東西六宮既是帝制時代君主的天堂，更是高牆之內妃嬪的煉獄。

1 （清）毛奇齡《勝朝彤史拾遺記》卷三。

第三十四講　景仁禍福

人有因緣，事有因果。在景仁宮裏，美麗宮名後面，福禍相因相果：胡后既當皇后又被「辭職」，珍妃既受寵幸又遭廷杖，佟妃既生下「千年一帝」，又二十四歲青春早逝，命運真是說不清道不明。對待命運：或無力抗拒，可廣積善緣——等待時間和歷史給以公正！

⌂ 景仁宮是東六宮之一，位置在東一長街東側最南邊，距離乾清宮最近。這裏曾經住過倒楣的后妃，如明宣德帝的胡皇后，還有光緒帝的珍妃等，也住過幾位有福分的皇妃，如順治帝佟妃（在本宮裏誕生皇子玄燁康熙大帝），雍正帝熹妃（乾隆帝生母），嘉慶帝貴妃鈕祜祿氏也曾在景仁宮撫育幼年旻寧（道光帝）。

⌂ 景仁宮的介紹，從《宮訓圖》「燕姑夢蘭」的故事開始。

一 燕姑夢蘭

景仁宮同其他十一宮一樣，建成於明永樂十八年（一四二〇年）。它初名長安宮，嘉靖十四年（一五三五年）更名為景仁宮。「景」，《說文解字》：「景，日光也，從日，京聲。」「景」字本意是日光，南朝江淹《別賦》云：「日出天而耀景，露下地而騰文。」引申意為「大」，為慕。「仁」，主要意思是仁愛、慈善、溫淑、賢慧。皇帝希望居住在景仁宮裏的后妃，能仰慕和修養大仁、大愛、大慈、大善的精神和品格。景仁宮的名稱，清沿明舊，沒再改動。

景仁宮基本保持了明永樂初建的格局，前有宮門，以圍牆和建築圍合成兩進四合院。前院，正殿五間，東西配殿，均為三間，整齊莊重。後院，後殿五間，殿的兩側，各有耳房，東西配殿，也各三間。

與其他宮院不同的是，在景仁門內，有一座石屏，基座和邊框均為漢白玉石雕，屏心為天然大理石，只有兩釐米的厚度，兩面圖案卻不同，一面雨霧繚繞，一面山川溝壑。這座石屏風格古樸，相傳為元代大內的遺物，自然天成，極為難得。

景仁宮的前殿，東西兩壁，原來沒有掛圖，也沒有匾額。但是，永壽宮有匾額。乾隆六年（一七四一年），乾隆帝命依照永壽宮匾額的式樣，製作了十一面匾額，並親自題寫匾額。於是東西六宮都有了本宮匾額。乾隆帝諭旨：「自掛之後，至千萬年，不可擅動，即或妃嬪移住別宮，亦不可帶往更換。」（《清高宗實錄》卷一百五十四）乾隆帝這話說得過滿，大清國怎會有千萬年呢！但他的意思還是明確的，就是他的後世子孫不可移動東西六宮的匾額，要長久懸掛，勿隨意移動。

乾隆帝又大發興致，命在東西六宮前

景仁宮（林京　攝）

殿懸掛《宮訓圖》和《宮訓詩》。西牆壁，掛《宮訓圖》；東牆壁，則掛《宮訓詩》。《宮訓圖》命畫師作，《宮訓詩》則由乾隆帝親自作，命大學士張照、梁詩正、汪由敦分別題書。

乾隆帝還規定：這組精心繪製的《宮訓圖》，在每年臘月（十二月）二十六日，在東西六宮張掛春聯、門神的同時，張掛《宮訓圖》。到來年二月二收門神之日，將各宮的《宮訓圖》收貯於景陽宮後的學詩堂。景仁宮張掛的《宮訓圖》是甚麼內容呢？

景仁宮的東壁，懸掛張照敬書乾隆帝的《聖製燕姞夢蘭贊》。乾隆帝御製贊詞曰：「乙始啟商，蘭亦征穆。吉人在宮，天使詒（贈予）穀（木名）。國香揚揚，掌夢其卜。嘒彼小星，三心五噣。椒聊遠條，爰昌七族。鄭多君子，宣尼所錄。」（《國朝宮史》卷八）這段文字，不太好懂。文化素養不高的后妃，可能是看不大懂的。為了后妃能理解「燕姞夢蘭贊」詞的含義，西壁張掛《燕姞夢蘭圖》。贊與圖對應，文與畫匹配，既有裝飾作用，又有教化功能。「燕姞夢蘭」出自一個歷史典故。這個典故來源於《春秋左傳．宣公三年》的記載。

燕姞夢蘭故事説的是：春秋時鄭國的國君鄭文公（前六七二～前六二八年），在位四十五年，他的賤妾燕姞，總也得不到文公的寵幸。朝思暮想，日夜苦悶。一天，燕姞夢見天使與己蘭（香草）。不久，燕姞見鄭文公，講述了夢中的故事。鄭文公就御幸了燕姞。燕姞説：妾不才，受到寵幸，倘若懷孕，如果不信，應有憑證，是否能以蘭為證？鄭文公諾。後來燕姞生下一子，取名蘭，這就是後來的鄭穆公。鄭文公有好幾個兒子，彼此內訌，明爭暗殺。鄭文公生氣，便驅逐諸公子。燕姞生的公子蘭逃奔到晉國。後來，公子蘭隨從晉文公伐鄭國，獲得大勝。公子蘭就繼承鄭文公的君位，成為鄭穆公（前六二七～前六〇六年），在位二十二年。這個故事説明：賤妾也會有機會受到君王的愛幸，所生之子，「必將為君，其後必蕃」。燕姞夢蘭的故事給那些被冷落的妃嬪一個希望：會做好夢，會有好報，會受寵幸，會生兒子，會做君王，會多子孫。乾隆帝很會做心理安撫，細雨潤物，教化無聲。但更多后妃不如燕姑那樣幸運。

二　不幸后妃

景仁宮裏住過的后妃，明朝宣德帝的胡皇后和清朝光緒帝的珍妃兩人，都是不幸的。

胡皇后，名善祥，山東濟寧人。永樂十五年（一四一七年）選為皇太孫朱瞻基妃。後朱瞻基為皇太子，她為太子妃。宣德帝朱瞻基繼位，則被冊為皇后。這時，宣德帝身邊還有孫貴妃，和胡皇后爭寵。胡皇后為人寬厚，但未有生子，身體多病，孫貴妃乘機逐漸佔了上風。

孫貴妃，山東鄒平人，幼有美色，機敏聰慧。她的父親在永城（今河南永城市）做主簿（副縣級），和洪熙帝張皇后是老鄉。經張皇后娘家人介紹，孫氏十餘歲就入宮，由張皇后養育。後來，張皇后的兒子朱瞻基成婚，詔選濟寧胡氏為妃，鄒平孫氏為嬪。洪熙帝死，宣德帝（朱瞻基）立，冊胡氏為皇后，孫氏為貴妃。與胡皇后相比，孫貴妃頗工於心計：第一計是求寵。孫貴妃利用美色和嬌媚，得到宣德帝的寵愛。第二計是求寶。明制：皇后既有金冊，又有金寶（璽印）；貴妃則只有金冊，沒有金寶。宣德元年（一四二六年）五月，孫貴妃既已受寵，宣德帝便出面向皇太后請示：賜給孫貴妃金寶。皇太后雖覺得違制，但還是勉強答應了。明朝貴妃有金寶自此始。第三計是求子。孫貴妃自己沒生兒子，宣德二年（一四二七年）十一月十一日，卻在心腹宦官、宮女參與下，暗裏取宮人生的兒子（朱祁鎮）為自己的兒子，這就是後來的明英宗。然而，明英宗朱祁鎮的生母是誰？《明史．后妃傳》說：「人卒無知之者。」孫貴妃就更加受到宣德帝的眷寵。第四計是求后。胡皇后請早定朱祁鎮為太子，主動表示退位。孫貴妃雖心裏暗喜，卻假意謙辭地說：「后病痊自有子，吾子敢先后子耶？」（《明史．后妃傳》卷一百十三）皇后您病好後，自然會生兒子，我的兒子哪敢先於您的兒子呢！宣德三年（一四二八年）三月，宣德帝令胡皇后上表辭位，就是寫辭職報告。胡皇后被迫「辭去皇后」，從坤寧宮退居到長安宮（景仁宮）居住。宣德帝安撫辭位的胡皇后，賜號靜慈仙師，而冊孫貴妃為皇后。這一上一下，雖然詔書說是皇后力辭，貴妃謙讓，最後貴妃迫不得已才就位皇后的，但宮內外許多人都知道皇后辭位並非自願，而是被迫的。史書記載：「皇后無過被廢，天下聞而憐之。」（《明史．后妃傳》卷一百十三）

宣德帝的母親張太后，憐憫「退位」的胡皇后賢慧，常召她到清寧宮居住。在後宮的宴會上，張太后命胡「皇后」位居孫皇后之上。孫皇后常為此怏怏不樂，但也毫無辦法。後來宣德帝為廢后而後悔，嘗自解說：「此朕少年事。」潑出去的水，已無法收回。

「禍兮福之所倚，福兮禍之所伏。」這胡皇后跟孫皇后比起來，雖是倒楣的，但也有幸運的時候。宣德帝去世後，她躲過妃嬪殉葬一劫。事情是這樣的：宣德帝在位十年，過於淫樂，三十八歲（虛歲）就離開人世。怎麼知道他過度淫樂呢？宣德帝死後兩個月，新帝命「放教坊樂工三千八百餘人」（《明史．英宗前紀》卷十）。宣德帝死後，殉葬妃嬪有一個長長的名單：「正統元年（一四三六年）八月，追贈皇庶母惠妃何氏為貴妃，謚端靜；趙氏為賢妃，謚純靜；吳氏為惠妃，謚貞順；焦氏為淑妃，謚莊靜；曹氏為敬妃，謚莊順；徐氏為順妃，謚貞惠；袁氏為麗妃，謚恭定；諸氏為淑妃，謚貞靜；李氏為充妃，謚恭順；何氏為成妃，謚肅僖。冊文曰：『茲委身而蹈義，隨龍馭以上賓，宜薦徽稱，用彰節行。』蓋宣宗殉葬宮妃也。」（《明史·后妃傳》卷一百十三）這十個美麗年輕的生命，被繪入殘暴黑暗的圖畫。

胡「皇后」雖躲過殉葬之劫，但七年之後，保護她的張太皇太后病死，她痛哭不已，翌年也病死，以嬪禮葬於金山（西山）。至於孫皇后，正統帝登極，做了太后。她在經歷英宗即位、被俘、南宮復辟等大悲大喜後死去。

景仁宮在晚清，還住過一位不幸的妃子光緒帝的寵妃珍妃。

話要從光緒帝的大婚說起。光緒帝一生中有兩個不幸日子：一個是生日，另一個是大婚日。先說生日。光緒帝生於同治十年（一八七一年）六月二十八日。恰逢這一天是孟秋享齋日，不便於紀念和慶祝，後來他做了皇帝，只能把生日改在六月二十六日為萬壽節，也是光緒朝的國慶日。

再說大婚日。光緒十四年（一八八八年）十月定於翌年正月二十七日舉行光緒帝大婚。但是，十二月十五日夜，太和門大火，門被燒毀。這既是光緒帝的不幸，也預示着珍妃的不幸。

光緒帝皇后是慈禧太后娘家侄女，光緒帝雖不喜歡她，卻也無奈。慈禧太后同時為光緒帝娶了兩嬪，就是同父異母姐妹瑾嬪和珍嬪，他他拉氏，滿洲鑲紅旗。祖父裕泰曾任湖廣、閩浙和陝甘總督，父長敍任兵、刑、戶三部侍郎。她們出身於官宦之家，受過良好家庭教育。

瑾嬪在光緒十四年（一八八八年）十月選為瑾嬪，時年十五，比光緒帝小三歲。珍嬪，比姐姐瑾妃小二歲，比光緒帝小五歲，被選為珍嬪時，只有十三歲（虛歲）。

珍嬪於光緒大婚前一天嫁到宮裏，住在景仁宮前院的東西配殿。因這時景仁宮還住着咸豐帝婉貴妃索綽洛氏。婉貴妃入宮後直至光緒二十年（一八九四年）病逝，一直住在此宮。

珍嬪同姐姐瑾嬪一起，在慈禧六十大壽時晉為妃。珍妃比姐姐瑾妃，長得更漂亮，更聰慧，更活潑，很討光緒帝的喜歡。光緒帝受慈禧太后的壓抑，受國務瑣事的煩惱，受宮廷羈絆的孤獨，受朝政頹勢的困惑，只有在後宮同珍妃一起，才得到排解，感到輕鬆。但珍妃年輕，不太懂事，一樁賣官的事，攪亂了她純淨而美麗的生活。

光緒二十年（一八九四年）十月二十八日晨，慈禧太后對來請安的光緒帝說：「瑾妃、珍妃的事，你不管，我可要管！」光緒帝退下後，有太監跪奏：清晨，皇太后令總管太監李連英，對瑾妃、珍妃杖責處罰。慈禧太后對珍妃的嚴懲，有書說是「褫衣廷杖」，就是脱掉衣服廷杖。這是對珍妃最大的羞辱，也是清宮史前所未聞。

慈禧太后杖責珍妃，正史沒有文字記載，御醫檔案，留下資料：十月二十八日，御醫張仲元請得珍妃脈息，六脈沉伏，抽搐氣閉，牙關緊急，周身筋脈顫動。同日半夜，張仲元請得珍貴人脈息，抽搐又作，牙關緊閉，人事不省，周身筋脈顫動。根據上述醫案，珍妃確受重杖。

慈禧皇太后之所以重懲珍妃，其原因主要有三：

一、對皇后：慈禧太后覺得，皇帝結婚五年，對懿旨的皇后，既不親愛，也不敬重。皇帝一心喜歡那個珍妃，太使自己傷心。慈禧太后借此機會，嚴厲懲治珍妃，給皇后侄女出口氣。

二、對珍妃：珍妃自恃長得嬌俏，能說會道，深受皇帝喜愛，太后心裏怨憤。特別是慈禧年輕守寡，產生心理變態。見到別人的甜蜜愛情，心裏總是嫉妒，借這個機會，來懲罰珍妃。

三、對後宮：後宮應是一片「純淨樂土」，竟然有人串通外朝，賣官鬻爵。珍妃也好，太監也好，賣官之事，確被抓住。於是，慈禧皇太后懲罰珍妃，名正言順，並藉此處罰太監，訓誡宮女。

光緒二十六年（一九〇〇年）七月二十一日，八國聯軍入侵北京，慈禧太后帶着光緒帝倉皇出逃。相傳她臨行前命太監崔玉貴把珍妃推到寧壽宮外的井（珍妃井）中害死了。這件事情正史雖沒有記載，但珍妃確實是那時死的。因為從那以後清宮檔案裏就沒有出現有關珍妃的記載。後來有個太監回憶錄，說到珍妃被慈禧害死的情景。

珍妃自光緒十五年（一八八九年）入宮到死之前共十二年，除被打入冷宮之外，一直居住在景仁宮。後清室善後委員會點查物件時，宮裏尚存有珍妃的綢衣、皮服若干箱。

珍妃被慈禧太后下令沉入井中溺斃之後，宮中盛傳此宮為一座不祥的宮院。相傳為此在景仁宮的東南門內設有鎮邪之物，北面牆上設有一面鐵牌，南邊夾道地溝石頭上也刻着一道門。然而，景仁宮的悲劇是人禍，是帝制之禍，豈是「辟邪」所能避免的。

三 順治佟妃

景仁宮裏留下永恆的歷史記憶：這裏誕生了中國「千年一帝」的康熙大帝。一位偉大人物身後，必有一位偉大母親。為甚麼這樣說呢？康熙帝的生母就是一個例子。

順治帝的佟妃、康熙帝的生母佟氏，出身於八旗漢軍家庭，清初有光榮的「家史」。她的祖父佟養真（正）、祖叔佟養性都為大清開國立下重大勳勞。佟養性，為皇太極在瀋陽研發成功四十門紅衣大炮，任初創八旗漢軍都統。她的祖父佟養真和伯父佟豐年，為守鎮江（今遼寧省丹東市鎮江古城）而死，是清朝的開國功臣。她的父親佟圖賴，原名盛年，任八旗漢軍正藍旗固山額真，隨同清軍在山東攻下四府、七州、三十二縣，在山西攻下九府、二十七州、一百四十一縣，又隨清軍定河南、徇江南、進湖廣，後積勞病死，受封一等公。她的兄弟佟國綱，受命為全權代表，同大學士索額圖赴尼布楚，與俄國彼得大帝代表談判，簽訂《中俄尼布楚條約》。後在反擊噶爾丹南犯時，大戰於烏蘭布通，「中鳥槍，沒於陣」（《清史稿．佟國綱傳》卷二百八十一）。她的幼弟佟國維，官一等侍衛、內大臣。吳三桂反亂時，三桂之子吳應熊為額駙（駙馬）居京師，以紅帽為號，謀作叛亂。佟國維發現其陰謀，密奏朝廷，受命率領侍衛三十人前往額駙府捕治，抓獲十餘人，械送刑部。吳應熊被朝廷下令處死。佟國維後任領侍衛內大臣、議政大臣，被封一等公。她的侄女後來是康熙皇帝的孝懿仁皇后。她的侄子隆科多，在康熙帝晚年任步軍統領、

景仁宮後殿（林京　攝）

理藩院尚書。隆科多向胤禛傳達密詔，幫助胤禛登上皇帝寶座，而成為「雍正元勳」。隆科多說過：「白帝城受命之日，即死期將至之時。」（《清史稿．隆科多傳》卷二百九十五）隆科多結局悲慘，被以四十一條大罪，「於暢春園外築屋三楹，永遠禁錮」，後死於禁所。

康熙帝生母佟氏也有故事。康熙帝的生母孝康章皇后佟佳氏，由孝莊太后懿旨，納為順治帝的妃子。佟妃生於崇德五年（一六四〇年），比順治帝小兩歲。佟妃入宮後，便一直居住在景仁宮。順治十一年（一六五四年）三月十八日，她十五歲（虛歲），在景仁宮裏生下玄燁，就是後來的康熙皇帝。史書記載：「妃詣太后宮問安，將出，衣裾（衣服前襟）有光若龍繞。太后問之，知有妊。謂近侍曰：『朕妊皇帝實有斯祥，今妃亦有是，生子必有大福。』」（《清史稿．后妃傳》卷二百十四）在古代帝王傳記中，帝王投胎或降生，常有祥瑞現象。這或為附會，或為編造，姑且聽之，不必深究。

佟妃的容貌和性格，不見於文字記載，但從康熙帝的形象和性格的相關記載，可做參考：「天表奇偉，神采煥發，雙瞳日懸，隆准嶽立，耳大聲洪，徇齊天縱。稍長，舉止端肅，志量恢宏，語出至誠，切中事理。讀書十行俱下，略不遺忘。自五齡後，好學不倦，丙夜披閱，每至宵分。」（《清聖祖實錄》卷一）康熙帝六歲時，同皇二兄福全、皇五弟常寧，向皇父問安。順治帝問其志：皇五弟剛三歲，未能答；皇二兄以願為賢王對；玄燁奏答：「待長而效法皇父，黽勉盡力。」順治帝很高興。八歲即位後，一天孝莊太皇太后問康熙帝有何願望。奏道：「惟願天下乂安，生民樂業，共用太平之福。」（《清聖祖實錄》卷一）

佟妃在景仁宮生下了玄燁確有大福，但佟妃福分不夠，順治帝在世時，寵董鄂妃，佟妃被冷落，二十二歲即喪夫。兒子當上皇帝，她貴為太后，卻在康熙二年（一六六三年）因患病，撒手人寰，才二十四歲（虛歲）。佟妃如果像乾隆帝生母那樣高壽，活到康熙帝過世時，也才八十三歲。康熙帝即位後，尊生母佟氏為皇太后。她的娘家，本來是漢軍，康熙帝命入滿洲鑲黃旗，她從此改姓佟佳氏。後族抬旗，從此開始。慈禧太后娘家也緣此而抬旗。

景仁宮裏還有康熙帝的故事。康熙帝兄弟八人，同父異母二阿哥福全與他最好，被封為裕親王。福全任撫遠大將軍，反擊噶爾丹進犯，師到烏蘭布通，因貽誤軍機，噶爾丹逃跑。康熙帝不以兄弟之情寬宥福全，大軍回到朝陽門外，不許進城。命免福全議政大臣，罰俸三年，撤三個佐領，然後才允許進城。福全病故時，康熙帝兄弟八人中，只剩下他自己，所以格外悲痛、傷心。康熙帝親臨皇二兄裕親王府福全靈前祭奠，哀慟不已，回來直奔景仁宮，居住此宮，不理政事，致哀四天。康熙帝為懷念同福全的兄弟之誼，「命畫工寫御容與並坐桐陰，示同老意也」。（《清史稿．諸王傳》卷二百十九）

景仁宮不僅是康熙帝出生的後宮，而且是他作為皇帝居住過的後宮。這在東西六宮中是唯一的。

人有因緣，事有因果。在景仁宮裏，美麗宮名後面，福禍相因相果：胡后既當皇后又被「辭職」，珍妃既受寵幸又遭廷杖，佟妃既生下「千年一帝」，又二十四歲青春早逝，命運真是說不清道不明。對待命運：或無力抗拒，可廣積善緣——等待時間和歷史給以公正！

第三十五講　承乾寵妃

「有道之君，以逸逸人；無道之君，以樂樂身。」這句話雖出自婦人徐惠之口，卻揭示出一條哲理：逸民還是逸君，樂民還是樂君，這是明君、英君和庸君、昏君的分界線。她還說：「業大者易驕，善始者難終。」這些話的文化價值是：千古名言，萬載永鑒。

△承乾宮在後三宮外東一長街東側，南為景仁宮，北為鍾粹宮，在這兩宮之間。始建於明永樂十八年（一四二〇年），初名永寧宮，崇禎五年（一六三二年）八月更名承乾宮。清沿明舊。順治十二年（一六五五年）重修，翌年告成（《清世祖實錄》卷九十三）。前殿，懸掛乾隆帝御書匾額：德成柔順。東牆壁張掛梁詩正書《聖製徐妃直諫贊》[1]，西牆壁張掛《徐妃直諫圖》（《國朝宮史》卷八）。承乾宮至少住過三位寵妃，就是崇禎帝田貴妃、順治帝董鄂妃和道光帝全貴妃。以時為序，先介紹崇禎寵妃。

一 崇禎寵妃

在承乾宮（永寧宮）居住的后妃，崇禎帝的田貴妃很有故事。

崇禎帝皇后周氏，父周奎，先是蘇州人，後遷居大

1 《徐妃直諫》的典故，取《舊唐書．后妃傳》（卷五十一）和《新唐書．后妃傳》（卷七十六）。書中故事：徐妃規諫唐太宗愛惜民力，珍惜物力，疏言：「人老者，為易亂之符也。翠微、玉華等宮，雖因山藉水，無築構之苦，而工力和僦，不謂無煩。有道之君，以逸逸人；無道之君，以樂樂身。」徐妃諫言雖未被唐太宗採納，但其敢於直諫美德，得到乾隆帝的讚譽。徐妃四歲誦《論語》《詩經》，遍涉經史，手不釋卷，二十四歲，病卒。

興（今北京市）。講田貴妃跟周皇后有關係嗎？有。明朝規定：宮中選大婚（皇后），一后以二貴人陪；中選，皇太后罩以青紗帕，取金玉信物繫其臂；不中，則以年月帖子放到淑女袖裏，賜以銀幣遣還。就是說，在選皇后時，是「一正二陪」，在三人中選取一人。但實際上，情況複雜。有的皇后已經內定，陪選的實際上是「托兒」；有的先為王妃，皇子繼承皇位後，王妃（清為福晉）自然晉為皇后，也不需要走那一套煩瑣的過場。

崇禎帝的后妃，著名的是一后二妃：一後是周皇后，二妃是袁貴妃和田貴妃。周皇后和袁貴妃，在《大故宮》第一冊的《乾清三悲》中已介紹過，而田貴妃呢？據《玉堂薈記》等書記載，就居住在承乾宮。在田氏入住以前，此宮名為永寧宮，崇禎帝改為承乾宮，令田貴妃居住。崇禎七年（一六三四年），安匾於東配殿曰貞順齋，西配殿曰明德堂。（《清宮述聞》）從這些舉措看，崇禎帝確實是非常寵愛田貴妃的。

其實，崇禎帝這一改名，未必算好，因為「永

承乾宮（林京　攝）

寧」是要後宮永遠安寧。對於後宮來説，平安、康寧是最為重要的。「永寧」改為「承乾」，「乾」為天、為帝，崇禎帝本意可能是，田貴妃住在這裏，承受、承順皇帝沐浴恩寵，但「寵」過了頭，也會使後宮既不平安，也不康寧。後來事實證明，田貴妃在承乾宮裏的確是不平安、不康寧的。

田貴妃原籍陝西，後家揚州。她的父親田弘遇，因為女貴，官左都督（正一品）。崇禎帝朱由檢為信王時，田氏就到了信王府邸。崇禎元年（一六二八年），朱由檢登上皇位，田氏也就冊為妃，後晉貴妃。

田貴妃長得美：「妃生而纖妍，性寡言，多才藝。」（《明史・后妃傳》卷一百十四）看來田貴妃長得像南方女子，線條姣美，容顏豔麗，外靜內動，多才多藝。素養高：她琴棋書畫，歌舞詩詞，都有特長，也頗出色。她畫的《群芳圖》和《蘭花圖》，讓崇禎帝格外喜愛。她寫的字，娟麗秀美，也讓崇禎帝動心。會打扮，她的穿戴很不一般。田貴妃生長在江南，入宮後也將江南服飾帶到宮裏，宮中稱她的衣飾為「蘇樣」。平日服侍田貴妃的宮女，逢年過節時，頭上的飾物多由田貴妃插戴，穿戴得體，風格清奇，這使其他宮院的宮女羡慕不已。有情趣：在宮中的夾道裏，暑夏月光，乘着肩輿或車駕；日中驕陽，戴着編織的傘蓋，遮蔽陽光。隨從的太監和宮女，欣賞月色，享有蔭涼，都很高興。能生子：崇禎帝有七子，前三子是周皇后生的，後四子都是田貴妃生的。

田貴妃的活潑機敏性格，可能同她父親的遺傳基因有關。《明史》記載她父親「好佚遊，為輕俠」，是一個好活動、講排場的人。田弘遇既貪婪又慳吝。他從寧波回京，裝載十三船的錢，倒騰獲利，得銀萬計。田家大興土木，但對匠作，不給吃飽，不給工錢，工匠有的伺機逃跑，未跑的怨聲載道。

史書評價田貴妃說：「能書，有機智，上頗昵之，即袁貴妃遠不及也。以是后多不得見上。」（《罪惟錄》卷二）就是說，田貴妃長書法，擅繪畫，聰明機智，美麗嬌人，崇禎帝特別親昵她，就是袁貴妃也望塵莫及；因為田貴妃受寵，就連皇后也難得見上皇帝一面。

田貴妃得寵，嬌媚俊麗，才藝超群，遭到周皇后和袁貴妃的「羨慕嫉妒恨」！再加上她受寵而驕，更得罪了周皇后，由「羨慕」、「嫉妒」而轉為「怨恨」！周皇后怎樣對待田貴妃呢？一個辦法是「曬着她」。新年正月初一，天氣嚴寒，田貴妃來給周皇后拜年，車子停在宮簷下，等了很久，皇后御坐，才受其拜，拜完就離開，一句話不說。而袁貴妃也來拜年，二人甚歡，說話多時。

田貴妃給周皇后拜年，遭受冷遇，心裏含恨，向誰哭訴呢？只有向崇禎帝傾訴：「向帝泣！」崇禎帝聽到這番哭訴，很心疼愛妃，便報復周皇后。怎樣報復呢？一天，在交泰殿崇禎帝與周皇后說話，心裏有氣，言語不合，崇禎帝一推，周皇后倒地。周皇后生氣，哭泣不已，也不吃飯。這也不是辦法啊！崇禎帝主動和緩，派太監送貂皮夾襖給皇后，並問皇后起居，帝后矛盾，才算緩和。

崇禎帝御妻有術，既示好周皇后，又牽制田貴妃。不久，借個茬斥責田貴妃，讓她遷居啟祥宮（太極殿），三月不召，故意冷淡。但事情總有轉機，一天，周皇后陪着崇禎帝看花，請召田貴妃。崇禎帝不說話。周皇后派太監用車迎來田貴妃。崇禎帝見了田貴妃，史書記載：「乃相見如初。」田貴妃對崇禎帝有一種難以言表的魅力與磁力，從此她又受寵如故。

田貴妃有心計。崇禎十三年（一六四〇年），田貴妃和周皇后發生衝突，事情是由田貴妃告周皇后狀引起的。據《棗林雜俎》記載：一天，崇禎帝召田貴妃。慣例是貴妃乘鳳輿，由小太監抬着。這一天，田貴妃卻由宮女抬着，崇禎帝見了，覺得很奇怪，問為甚麼，回答說：「小璫多恣肆無狀。」讓她舉例說明。田貴妃說：「聞坤寧宮小璫狎宮婢，故遠之耳。」崇禎帝聽後，覺得田貴妃懂得禮儀，並命搜查坤寧宮小太監的住所，獲得太監與宮女之間見不得人的東西。這是因為宮裏的太監和宮女，多有自己的「對兒」，叫作「對食」，也叫作「菜戶」。在這件事情上，田貴妃與周皇后的暗鬥，田貴妃得勝。時田貴妃謀奪嫡，借此陷害周皇后。後在貴妃宮中也搜得狎具。（《棗林雜俎》）

但是不久，田貴妃犯了大忌，得罪了崇禎帝。這是怎麼回事呢？

明大太監曹化淳派人到南京、揚州，用重金得歌舞女子奉獻，崇禎帝特別寵愛，好幾個月，不與妃見。又逢大旱，崇禎帝「以旱故，齋宿武英殿」。時值田貴妃誕辰，崇禎帝打算回宮。田貴妃手寫奏疏勸諫。崇禎帝很不高興，手批：「數月不與卿相見，學問視昔大進。至歌舞一事，祖宗朝皆有之，不自朕始也。蓋妃亦以義挾上云。」（《罪惟錄》卷二）

屋漏又遭連陰雨。田貴妃連受喪子的打擊：她共生育四個皇子，除皇四子永王慈炤在李自成攻入北京後不知所終外，皇五子悼靈王慈煥、皇六子悼懷王（未命名）、皇七子也未名，都先後早亡。其中皇五子慈煥，《明史》記載一個故事：「悼靈王慈煥，莊烈帝第五子。生五歲而病，帝視之，忽云：『九蓮菩薩言，帝待外戚薄，將盡殤諸子。』遂薨。九蓮菩薩者，神宗母，孝定李太后也。太后好佛，宮中像作九蓮座，故云。帝念王靈異，封為孺孝悼靈王玄機慈應真君，命禮臣議孝和皇太后、莊妃、懿妃道號。禮科給事中李焻言：『諸后妃，祀奉先殿，不可崇邪教以亂徽稱。』不聽。十六年十二月，改封宣顯慈應悼靈王，去『真君』號。」（《明史·悼靈王慈煥傳》卷一百二十）

崇禎十五年（一六四二年）三月，田貴妃連續喪子，又受到皇帝冷落，過度憂傷，將僅剩的皇四子朱慈炤託付給天啟帝懿安皇后撫養，帶着重病，回承乾宮，同年（一六四二年）七月，病死於承乾宮。

田妃死後得以安寧。葬在北京昌平十三陵天壽山。崇禎帝死後，清軍入關，清攝政睿親王多爾袞為崇禎帝發喪。明朝后妃隨帝葬，唯獨崇禎帝后隨妃葬。崇禎帝與田貴妃，不是妃從帝陵，而是帝從妃園，崇禎帝與周皇后同葬於田貴妃的寢園，名思陵。

二 順治寵妃

順治帝寵妃董鄂氏，她住的後宮，沒見到直接史料記載。據學者考證，董鄂氏居住在承乾宮（陳垣《語錄與順治宮廷》）。順治朝的疑案多，故事也多，如順治帝出家了沒有，孝莊太后下嫁了沒有，董小宛嫁給順治了沒有，等等。順治帝出家事，《養心輓歌》仲介紹過；孝莊太后下嫁事，以後介紹；在這裏要考證一下董鄂妃和董小宛是不是同一個人。

董鄂氏，生年不詳，卒於順治十七年（一六六〇年），約二十多歲。董鄂氏的身份有三種說法：

第一種是官書。《清史稿·后妃傳》記載：「孝獻皇后，棟鄂氏，內大臣鄂碩女。年十八入侍，上眷之特厚，寵冠後宮。」

第二種是野史。說董鄂氏是晚明秦淮名妓、冒辟疆（襄）之妾董小宛。董小宛、李香君、柳如是和卞玉京是當時江南四大名妓。清軍南下，將董擄獲，送到北京，獻給順治。我查過許多資料，主要是年齡不符。據記載：順治八年（一六五一年），董小宛二十八歲，病死於冒府。這不僅有冒辟疆的筆記，還有當時文人的悼詞。董小宛比順治帝大十四歲，又死於順治帝十四歲之時。所以董小宛即董鄂氏之說當屬捕風捉影。

第三種是傳記。西方人寫的《湯若望回憶錄》說：順治皇帝對於一位滿洲籍軍人的夫人，起了一種火熱愛戀，當這位軍人因此申斥他的夫人時，竟被對於他這申斥有所聞知的天子親手打了一個極怪異的耳光，這位軍人乃因憤致死，或許竟是自殺而死。順治皇帝將這位軍人的未亡人收入宮中，封為貴妃。這位貴妃，於順治十六年（一六五九年）生下一子，是皇帝要規定他為將來的皇太子。但是數星期之後，這位皇子竟然去世，而其母於其後不久亦薨逝。陳垣先生據此認為，其為董鄂妃無疑。

這位滿洲將軍，有學者認為是順治帝同父異母的皇十一弟博穆博果爾。他的生母為麟趾宮貴妃博爾濟吉特氏，是蒙古察哈爾部林丹汗的遺孀。博穆博果爾於崇德六年（一六四一年）生，順治十二年（一六五五年）封襄親王，翌年七月死，十六歲。

董鄂妃呢？史載：「年十八入宮，順治十三年（一六五六年）八月冊為賢妃，十二月晉皇貴妃，明年十月生皇四子榮親王。」（《清皇室四譜．后妃傳》卷二）所以，有學者認為：董鄂妃可能原是襄親王博穆博果爾的王妃。董鄂氏入宮一年之間，連升三級：妃，貴妃，皇貴妃。這在明清宮廷史上是僅見的。

董鄂妃入宮四年間，備受寵愛，因病而死，順治悲痛：一是，命三十名太監與宮女，悉行賜死，在陰間服侍皇貴妃。二是，順治帝親製《行狀》（悼詞），洋洋數千餘言，真是感人肺腑。

三是，追贈董鄂妃為端敬皇后。四是，順治帝哀傷過甚，竟至尋死覓活，一切不顧，人們不得不晝夜守着他，使他不得施行自殺。五是，《天童寺志》記載：順治帝給木陳忞和尚御書唐朝岑參《春夢》詩一幅云：「洞房昨夜春風起，遙憶美人湘江水[1]。枕上片時春夢中，行盡江南數千里。」末署庚子（順治十七年）冬日書。多情天子，寵愛美人，感情篤深，躍然紙上。六是，董鄂妃死後，八月二十三日，近侍李國柱傳旨：召師進承乾宮上堂，為董皇后起棺。最後命人舉炬，火化董鄂氏皇后遺體。

順治帝寵妃董鄂氏，這位神秘多情的女子，讓順治皇帝神魂顛倒，讓許多文人墨客夢繞魂牽，賦詩寄情，又讓那麼多歷史學家費盡心思，苦心考索。她的身世至今依然是個歷史之謎。

三 道光寵妃

在承乾宮還居住過道光皇帝的寵妃鈕祜祿氏。這位寵妃是怎麼回事呢？話從她的夫君道光皇帝說起。

1 岑參原詩是「故人尚隔湘江水」。

清朝道光皇帝，大家對他並不陌生，就是在中英鴉片戰爭失敗後，簽訂《南京條約》，而被釘在歷史恥辱柱上的清宣宗。道光帝有四位皇后。第一位是孝穆成皇后，鈕祜祿氏。他做皇子時，由他皇父嘉慶帝做主，娶戶部尚書布顏達賚之女。但這位嫡福晉，還沒等到夫君繼承皇位就病死。第二位是孝慎成皇后，佟佳氏。旻寧嫡福晉死後，她繼任為嫡福晉。旻寧繼位後，她跟着升為皇后。但是福分不夠，生了一個女兒還早殤，自己也先死了。第三位皇后就是道光帝的寵妃鈕祜祿氏。

《孝全成皇后璿宮春靄圖》

《清史稿·后妃傳》記載：孝全成皇后，鈕祜祿氏，二等侍衛、一等男頤齡之女。初入宮，為全嬪。她在道光十一年（一八三一年）六月，生下奕詝，就是後來的咸豐皇帝，也就是慈禧的丈夫。兩年後，她因生了兒子，又被道光帝喜愛，晉為皇貴妃。這時後宮沒有皇后，她「攝六宮事」，就是代理總管東西六宮的事務。又過了一年，被立為皇后。她做了六年皇后，於道光二十年（一八四〇年），就是中英鴉片戰爭爆發那年病死，才三十三歲。這時她留下的兒子奕詝只有十歲（虛歲），歸誰撫養呢？由道光帝第四位皇后即孝靜成皇后博爾濟吉特氏撫養。她的親生兒子就是奕訢，所以奕詝和奕訢在一起生活有十年。

《清宮述聞》記載：承乾宮正殿東屋，有孝全成皇后御容、神龕、佛像、爐、盤、塔、磬。（《清室善後委員會點查報告》）

有《清宮詞·詠孝全》詩二首。

其一云：「蕙質蘭心並世無，垂髫曾記住姑蘇。譜成六合同春字，絕勝璿璣織錦圖。」說她小時候隨父到蘇州，非常明慧，仿民間七巧板，用木頭做成骰子形，排成「六合同春」四個字，作為宮中新年玩具。後傳到宮外民間。「六合」是指天地和東南西北，也泛指天下。「鹿」與「陸」、「鶴」與「合」諧音，所以又稱「六合同春」、「鹿鶴同春」。

其二云：「如意多因少小憐，蟻杯鴆毒兆當筵。溫成貴寵傷盤水，天語親褒有孝全。」原注：孝全皇后由皇貴妃攝六宮事，旋正中宮數年，暴崩，事多隱秘。其時孝和皇太后尚在，家法森嚴，道光帝也不敢違命。道光帝既痛孝全之死，便不立其他妃嬪之子，而立孝全之子奕詝。

這裏我說一下清代滿洲的兩個大姓：一個是鈕祜祿氏，另一個是瓜爾佳氏。鈕祜祿氏清初最出名的是開國五大臣之首的額亦都。我講額亦都兩個小故事。一個是額亦都隨從努爾哈赤攻打巴爾達城，作戰時「夜薄其城，率驍卒先登，城中兵猝驚起拒，跨堞而戰，飛矢貫股，着於堞，揮刀斷矢，戰益力，被五十餘創，不退，卒拔其城而還」（《清史列傳．額亦都》卷四）。額亦都有十六個兒子，其次子達啟，為額駙（駙馬），很驕傲。一天，額亦都召集諸子飲酒，酒過三巡，命執達啟。額亦都抽刀說：天下哪有父親殺兒子的？但此子傲慢，今若不治，他日必辱國家、敗門戶，不從者，血此刃！說完，引達啟入室，以被覆面殺之。額亦都把努爾哈赤的姑爺殺了，公主成了未亡人，感到事大，就到努爾哈赤面前謝罪。努爾哈赤很驚訝，一會兒，鎮定說，額亦都為國深慮，這是別人做不到的。（《清史稿．額亦都傳》卷二百二十五）這個鈕祜祿氏家族，一直影響到清末。

另一個是瓜爾佳氏，有一位費英東，為清開國五大臣之一。榮祿就是費英東的後裔。榮祿女兒是慈禧的乾女兒，她和載灃的兒子就是溥儀。這個瓜爾佳氏，也是一直影響到清末。

順便交代一下：道光帝琳貴妃，咸豐年間雲嬪、婉貴人等，都住在承乾宮（《內務府奏銷檔》）。琳貴妃是醇親王奕譞生母。奕譞和慈禧胞妹葉赫那拉氏所生之子為載湉，就是後來的光緒帝。奕譞之子載灃和瓜爾佳氏所生之子溥儀，就是後來的宣統帝。所以咸豐帝、光緒帝、宣統帝以及奕訢都同承乾宮有關係，可見承乾宮對中國近代歷史尤關重要。

承乾宮裏三位美麗聰明、受帝愛幸的寵妃，其命運結局如何呢？崇禎帝田貴妃所生四個兒子，其中三個早殤，一個不知所終，自己才三十多歲就悲慘離世；順治帝董鄂妃受寵四年，獨子早殤，約二十二歲，便撒手人寰；道光帝的寵妃鈕祜祿氏，三十三歲就撇下十歲的兒子，成為鬼魂！

還是回到開篇的故事：「有道之君，以逸逸人；無道之君，以樂樂身。」這句話雖出自婦人徐惠之口，卻揭示出一條哲理：逸民還是逸君，樂民還是樂君，這是明君、英君和庸君、昏君的分界線。她還說：「業大者易驕，善始者難終。」這些話的文化價值是：千古名言，萬載永鑒。

第三十六講　鍾粹懸案

鍾粹宮是東六宮西排最北邊的一座宮殿。這座宮殿離坤寧宮較近，清帝大婚皇后進了宮，先到鍾粹宮稍憩、理妝，然後到坤寧宮舉行合巹禮，入洞房（喜房）。這是鍾粹宮臨時性功能，更多時日這裏是明太子和清后妃的寢宮。

⌂ 鍾粹宮是東六宮西排最北邊的一座宮殿。這座宮殿離坤寧宮較近，清帝大婚皇后進了宮，先到鍾粹宮稍憩、理妝，然後到坤寧宮舉行合巹禮，入洞房（喜房）。這是鍾粹宮臨時性功能，更多時日這裏是明太子和清后妃的寢宮。鍾粹宮有崇禎太子真假、道光貶斥妃嬪和慈安太后之死三樁懸案。

一 崇禎太子

鍾粹宮建成於明永樂十八年（一四二〇年），初名咸陽宮。明嘉靖十四年（一五三五年）更名為鍾粹宮。隆慶五年（一五七一年）改鍾粹宮前殿名興龍殿，後殿名聖哲殿，為皇太子朱翊鈞（萬曆帝）住所。後崇禎帝太子朱慈烺也住在鍾粹宮。這裏着重講崇禎帝真假太子朱慈烺的懸案。

崇禎帝太子朱慈烺，母為周皇后，生於崇禎二年（一六二九年），為嫡長子，剛滿周歲就被冊立為皇太子。他的命運同「戰爭」二字糾結在一起，戰爭中生，戰爭中死。

朱慈烺居住在鍾粹宮，史料記載太少，只知道有一次他的生母周皇后派宮女送茶點果餅給他，宮女們從田貴妃居住的承乾宮門前經過時，圍着石獅子嬉笑玩鬧，將正在午睡的田貴妃吵醒，幾乎引起事端。

崇禎帝自縊時，他的七個兒子已死四人，還有三人：嫡出皇太子朱慈烺（十五歲）、嫡出皇三子定王朱慈炯（十三歲）和田貴妃生的皇四子永王朱慈炤（十二歲）。崇禎十七年（一六四四年）二月，左都御使李邦華等請遷都南京，並請太子到南京監國，被崇禎帝拒絕。三月十九日，京師危急，崇禎帝朱諭內閣：「傳成國公朱純臣提督內外諸軍事，夾輔東宮。」太監奉着敕諭到內閣，內閣竟無一人，太監便把敕諭放在內閣大堂几案上返回，崇禎帝以為送達，自縊前有「百官俱赴東宮行在」的遺諭。

定王慈炯和永王慈炤，明亡「被執，不知所終」（《明史．諸王世表》卷一百四）。皇太子下落，有三種說法：

一為「南京太子」。明朝滅亡後，福王在南京登極，史稱南明。南明福王時，有人奏「故太子在浙」，詔其到南京，暫住興善寺。福王命司禮監太監馬朝進和東宮伴讀丘志忠等辨認，都說不認識。輔臣馬士英密奏：追謚故太子以及永王、定王，

鍾粹宮（曹怡玲　攝）

絕了眾望，福王採納。於是將這位太子下獄，進行會審，提出三疑：既為太子，幸脫虎口，不去投官，卻走紹興，為一疑；太子素質凝重，此人機辯百出，為二疑；公主現養周奎家，他卻說已死，為三疑。這位崇禎太子的真假，在南京演出了兩場鬧劇。

第一場是：有人認為崇禎太子是假。經大學士王鐸、教過太子的方拱乾等審問辨認，據記載：一問講讀在何處？二問講讀次序先後？三問寫仿要寫何字？四問講讀問難幾次？五問講案是甚麼樣？都答得不對。閣臣王鐸等說太子是假的。（李清《偽太子紀事》）將偽太子下獄。這位南京太子其實是駙馬都尉王昺的孫子王之明冒充的，他家破南奔，欲投南明，路上設計，冒充太子。

第二場是：有人認為崇禎太子是真。時南京士民，譁然不平，認為是真太子。南明寧南侯左良玉舉兵武昌，以救太子、清君側為名，率領號稱二十萬大軍順流長江東下。（《明史·左良玉傳》卷二百七十三）時清軍南下，兵逼南京，福王出逃。第二天，南京士民數百人砸開監獄，救出太子，給他穿戴戲裝衣冠，在武英殿登極，臣民朝賀，群呼萬歲，並選淑女，百姓惶恐，紛紛嫁娶。接着，清豫親王多鐸率軍進入南京，五天皇帝，死於刀下，這場鬧劇閉幕。

二為「北京太子」。崇禎帝自縊前，將太子慈烺和定王慈炯、永王慈炤，派太監送往他們外公周奎和田弘遇家。皇太子倉促到外公周奎家叩門，不得入，又到襄城伯李國禎家，家裏無人。後周奎知道此事後怕連累自己，說「不認識」。這時太監將太子獻給農民軍，李自成封太子為宋王，但太子拒絕。李自成將太子交部下管押，許其穿着便服到東華門外大行帝后遺體前致哀。李自成兵敗撤出北京，太子被挾往潼關。李自成敗死後，太子被人獻給清朝。多爾袞命周奎帶長平公主和見過太子的大臣前去辨認，周奎咬定太子是假的。長平公主開始說是真的，被周奎打了一下後便不敢再開口。多爾袞找來一批前明太監去刑部辨認，他們說是真太子，但當晚便都暴亡。又引宮廷侍衛來辨認，侍衛都對朱慈烺跪下，結果他們也被殺害。明朝大臣們則說太子是假的。太子老師內閣大學士謝陞也說太子是假的。第二年（一六四五年）四月，獄中的「太子」以「假太子」罪名被處死。

上述這一南一北的兩個「太子案」，都認定「崇禎太子朱慈烺」為「假太子」。其實，太子是真是假，已經是政治問題。崇禎帝太子朱慈烺，真假的確難辨，成為歷史懸案。

三為「明史太子」。明末清初，太子下落，沸沸揚揚，不知所從。官書記載，比較慎重。《明史》記載：「太子不知所終。」（《明史·諸王傳》卷一百二十）這是比較謹慎的官方曲筆的說法。正因如此，崇禎太子一直被當作「反清復明」的一面旗幟，直到康熙朝還出現「朱三太子」案。

總之，雖崇禎太子為政治玩偶，但歷史真善美是莊嚴的。明崇禎太子真假之辨——南京的以假為真，是為了取得未獲得的權力與財富；北京的以真為假，是為了維護已獲得的權力與財富；只有為了公正，才會有真善美。

明崇禎帝太子懸案未結，清道光帝貶妃懸案又起。

二　道光貶妃

鍾粹宮在清朝，作為妃嬪寢宮，沿襲明制，多次修繕，名稱依舊，格局未變。

清朝鍾粹宮前殿，懸掛乾隆帝御筆匾額：淑慎溫和。東壁張掛梁詩正書寫《聖製許后奉案

贊》，西壁張掛《許后奉案圖》。[1]（《國朝宮史》卷八）

道光帝有后妃二十人，共生育九子十女。道光帝后妃中，與鍾粹宮有直接關係的是孝靜成皇后。為甚麼要着重講孝靜成皇后呢？因為她有特殊經歷、特殊地位和特殊作用，直接影響近現代中國歷史，也為影視劇所演繹故事的根源所在，所以我在這裏，分別加以介紹。

孝靜成皇后，博爾濟吉特氏，刑部員外郎（相當於司局級）花郎阿的女兒。她侍道光帝由靜貴人、到靜貴妃，住在鍾粹宮。道光帝因皇長子奕詝十歲喪母，就把奕詝交給靜貴妃撫養。奕詝繼位做了咸豐皇帝，深感靜貴妃撫育之恩，先尊她為皇貴太妃，後尊她為皇太后。

孝靜成皇后生育三個兒子：奕綱、奕繼和奕訢。咸豐帝奕詝十歲沒有媽，和同父異母弟奕綱（二歲殤）、奕繼（三歲殤）和奕訢都生活在鍾粹宮，奕詝和奕訢一起讀書，一起生活，一起玩耍。

道光帝還有位貴妃烏雅氏，由常在、貴人、貴妃，後又尊為皇貴妃。皇貴妃烏雅氏生育三個兒子：奕譞、奕詥、奕譓。道光帝還有和妃生育一個兒子奕緯，祥妃生育一子奕誴。道光帝諸子，按齒序排：皇長子奕緯，

1 鍾粹宮「許后奉案」典故出自《漢書．外戚傳上》（卷九十七上）。漢宣帝許婕妤立為皇后，謹小慎微，起居有度，服飾節儉，講究禮法。每五日一朝皇太后於長樂宮，躬親侍奉，端食於案，以盡孝道。她雖只做了兩年皇后，就死於權臣霍光之妻的毒害，但以賢淑的品行，成為被後世尊奉的賢后。

二十四歲死；皇二子奕綱，二歲死；皇三子奕繼，三歲殤；皇四子奕詝，即咸豐皇帝；皇五子奕誴，曾任都統、領侍衛內大臣、郡王，光緒十五年（一八八九年）死，五十九歲；皇六子奕訢（後面講）；皇七子奕譞，娶慈禧胞妹葉赫那拉氏為福晉（光緒帝生身父母）；皇八子奕詥，為鍾郡王，同治七年（一八六八年）死，二十五歲；皇九子奕譓，為孚郡王、內大臣，光緒三年（一八七七年）卒，三十三歲。影響晚清政局的四位男人——咸豐帝奕詝、恭親王奕訢、醇親王奕譞及其子醇親王載灃，都同鍾粹宮有密切關係。

咸豐帝奕詝在登極以前，作為皇子在鍾粹宮居住長達十七年，由養母靜貴妃（孝靜成皇后）撫養。咸豐帝對鍾粹宮因居住久而感情深。他在《鍾粹宮感舊》詩中，有「居此幼齡十七年」的憶念。他又有「昔是承恩予舊地，今為基福后之宮」之句。

奕訢生於道光十二年（一八三二年）十一月二十一日，比奕詝小一歲多。道光帝賓天時，奕詝二十歲，奕訢十九歲。到咸豐二年（一八五二年）四月，恭親王奕訢才分府，離開鍾粹宮，搬進恭親王府。由上可見，奕詝與奕訢的關係是：

其一，奕詝（咸豐帝）生母過世之前，也由靜貴妃博爾濟吉特氏撫養。《清宮述聞》記載：「己亥冬，予方九歲，偶感寒疾，時皇妣每日至鍾粹宮視予。」（奕訢《皇妣孝全成皇后忌辰敬詣鍾粹宮行禮述哀》詩注）這裏的皇妣是孝全成皇后，也就是奕詝（咸豐帝）的生母。這也說明當時皇子生下之後，不由生母撫養，而由養母撫養。

其二，奕詝（咸豐帝）生母過世之後，才十歲（虛歲），正式交由靜貴妃博爾濟吉特氏撫育。

其三，靜貴妃博爾濟吉特氏生育奕訢（恭親王）、養育奕詝（咸豐帝），二人在鍾粹宮裏生活長達十七年之久。

其四，奕詝（咸豐帝）和奕訢（恭親王）二人，不僅同父，而且由同一位「母親」撫養長大。其五，孝靜成皇后在咸豐帝登極後，仍住在鍾粹宮。道光三十年（一八五〇年），咸豐帝繼位後到鍾粹宮向皇貴太妃問安達六次之多。鍾粹宮前殿，咸豐元年（一八五一年）定每年正月十一日、二月二十八日派太監喇嘛到此唪（念）經。

清帝廢降妃嬪等名分最突出的是道光帝。他有皇后四位、皇貴妃一位、貴妃三位、妃三位、嬪五位、貴人四位，共二十人，其中竟有一半人受到了降級懲處，有的還幾上幾下：

（一）彤貴妃，比道光帝小三十五歲，初為貴人，後為嬪，又降為貴人，再冊為嬪，時年十六歲，後晉為妃。兩年後又晉為貴妃。她為道光帝生下皇七女、皇八女、皇十女。後來又降為貴人（在何年因何事而降未詳）。

（二）成貴妃，比道光帝小三十一歲，初入宮為貴人，後封為嬪，時年三十三歲，不到三年，被降為成貴人，其因不詳。

（三）佳貴妃，初入宮為貴人，後晉嬪，四年後又降為貴人（在何年因何事而降未詳）。

（四）祥妃，比道光帝小二十六歲，初為貴人，後晉為嬪。生下皇二女，晉為妃。又生皇五女、皇五子奕誴，後降為貴人（在何年因何事而降未詳）。

（五）豫妃，比道光帝小三十四歲，初入宮為常在，後降為答應。

（六）恒嬪，初入宮為常在，後降為答應。

（七）珍嬪，比道光帝小二十二歲，初封為貴人，時年十九歲，後晉為嬪，又晉為妃，後降為嬪，並將其金印、金冊追回交造辦處熔化。

（八）順嬪，比道光帝小二十九歲，初封貴人，後降為常在。

（九）李貴人，比道光帝小四十五歲，初封為常在，後降為答應。

（十）那貴人，比道光帝小四十三歲，入宮為答應，後晉為貴人，轉年降為常在，後又降為答應。（于善浦《道光后妃怨女多》）

廢皇后、懲妃嬪的事各朝都有，但多有理由，以告誡宮人。道光帝二十名后妃中，封后四人，早死四人，另十二人中懲處十名。《清宮詞》還記載：道光年間的一天夜裏，道光帝在乾清宮盛怒，高聲呵斥，命急召值班侍衛王某入宮門內，賜以寶刀，令一太監帶領，到某宮某室，於床上取一宮眷的頭覆命，不知是因為何事。（《清宮詞》注）以上諸多怪異，竟是為了甚麼？或政治煩惱，或心理變態，或喜怒不定，或真有其罪？這是一團歷史懸案。

道光皇帝犯下政治家性格猶豫的大忌：於治家，貶降妃嬪，任情任意，枕上恩愛，翻臉不認；於治國，嚴禁弛禁，主戰主和，反覆無常，陰晴多變——既毀社稷，也損自己。

道光貶妃懸案未解，慈安之死懸案又生。

三 慈安之死

鍾粹宮在清朝晚期，因慈安皇太后在此居住，建築格局，有了變化，如增建垂花門、拓建遊廊等。

清慈安皇太后，鈕祜祿氏，廣西右江道穆揚阿女，奕詝登極前，便是側福晉。嫡福晉薩克達氏在咸豐登極前去世。咸豐帝登極，先將側福晉鈕祜祿氏封為貞嬪，後晉為貞貴妃，咸豐二年（一八五二年）冊封為皇后。慈安皇太后從受冊封為皇后起，雖然曾短暫居住在西六宮區的長春宮，但從同治親政，到光緒七年（一八八一年）暴崩，鍾粹宮是慈安皇太后一生中最重要的居住宮院。同治帝曾到鍾粹宮慈安皇太后前，陪侍午膳。同治十年（一八七一年）正月初二，同治帝又到鍾粹宮問慈安皇太后安，隨後奉慈安和慈禧兩太后到漱芳齋，侍午膳。（《清穆宗實錄》卷三百二）

慈安皇后在咸豐十年（一八六〇年），隨帝逃往避暑山莊。轉年（一八六一年）七月，咸

慈安皇太后《慈竹延清圖》軸

豐帝死，她為未亡人，年二十五。載淳繼位，就是同治帝，兩宮並尊：尊慈安為「母后皇太后」、慈禧為「聖母皇太后」，加以區別。

慈安皇太后住居在東六宮的鍾粹宮，故俗稱慈安皇太后為「東太后」；慈禧皇太后住居在西六宮的長春宮，故俗稱慈禧皇太后為「西太后」。

慈安皇太后有三件事被歷史記憶，也被後世關注：

第一件是兩宮太后垂簾聽政。同治帝繼位當年的十一月初一日，明清政治史上發生一件大事：兩宮皇太后御養心殿，垂簾聽政。這不僅是改變清朝祖制，而且是明清皇朝史上的空前之舉。第二件是同治八年（一八六九年），慈禧大太監安得海出京，山東巡撫丁寶楨將其捉拿，慈安皇太后立命誅之。第三件是光緒七年（一八八一年）三月初十日，慈安皇太后在鍾粹宮突然崩逝，年四十五。

安得海的死和慈安的死，兩者之間，有關聯嗎？有人、有書說有。

先說安得海的死。《清史稿．后妃傳》記載：「同治八年，內監安得海出京，山東巡撫丁寶楨以聞，（慈安）太后立命誅之。」從此，慈禧同慈安結下嫌怨。事情經過是：慈禧貼身太監安得海，受慈禧派遣，乘樓船南下，行至山東泰安，山東巡撫丁寶楨密派人跟蹤追捕抓獲，將其送到濟南。安得海言：「我奉皇太后命，織龍衣廣東！」丁寶楨上奏朝廷，慈安皇太后問：「法當如何？」諸臣叩頭奏：「祖制太監不得出都門，擅出者，死無赦！」巡撫丁寶楨「棄安得海於市」，丁寶楨殺了安得海，暴屍三天。慈禧當時沒有怨恨、報復，反而讓他升為總督。為甚麼？有人分析道：慈禧年輕守寡，傳聞同安得海「有一腿」。安得海暴屍三天，公示安得海確是一個太監，從而為慈禧太后洗刷了不白之傳言。

再說慈安皇太后的死。慈安的死，死得突然。《清史稿．德宗本紀》記載：光緒七年（一八八一年）三月「辛未（初九日），慈安皇太后不豫，壬申（初十日），崩於鍾粹宮」。人們傳説慈安是被慈禧害死的。這是怎麼回事呢？慈禧害了一場大病，據説是患「蓐勞」，《王力古漢語字典》說：「蓐，孕婦生產。」醫生薛福辰「說假病、下真方」，用補藥，效果好。慈禧病癒，慈安知道慈禧失德，仍置酒感悟她。慈安保存有咸豐臨終給她的手諭，內容是如果慈禧跋扈，就以此諭誅之。慈安把這份手諭給慈禧看了，又當着慈禧面燒了。慈禧對慈安的舉動既驚訝又感動。數日後，慈禧請慈安到長春宮，拿出點心招待慈安。慈安有午睡醒後吃點心的習慣，就吃了點心，連說：「好，好！」慈禧說這是她娘家送來的。過了幾天，慈禧派人送點心給慈安。慈安吃了慈禧派人送來的點心後，腹痛惡心，遽然死去，年四十五。慈安死後，沒等娘家人來就入殮，更加引起人們的猜疑。據載：孝貞（慈安）崩，諸臣皆大驚，抵宮見孝貞已小斂，慈禧坐矮凳上。按慣例，后妃薨，即傳戚屬入內瞻視後小斂，但孝貞薨，椒房無預其事者。又云：孝貞故喜小食，薨日，慈禧以糕餅進御，逾數時薨。（《述庵秘錄》）然而，慈安得的是甚麼病，慈禧是否害死慈安，慈安是否保存咸豐帝手諭，宮廷詭秘，沒有確證。這正給戲曲小說和影視創作留下想像空間，也成為學者難以解開的歷史懸案。

常言道：害人之心不可有，防人之心不可無。慈安皇太后死因懸案，給後人留下思考空間。

第三十七講　延禧永和

延禧永和，求禧求和。人生命運，不可預測。福常伴以禍，禍也伏以福。光緒帝的珍妃，求愛情，雖得到真愛，卻被塞井而死；她的姐姐瑾妃，求平安，雖平安一生，卻未得到愛情；而隆裕皇太后，求富貴，雖富貴滿堂，卻沒享受真愛。命運往往捉弄人，得此失彼，自古難全。常言道：不必強求，隨緣就好。

⌂ 延禧宮與永和宮，南北兩宮相鄰，本講合二為一。

一 延禧宮

延禧宮始建於明朝永樂十八年（一四二〇年），初名長壽宮，嘉靖十四年（一五三五年）改稱延祺宮。清朝改稱延禧宮。

延禧宮前殿，懸掛乾隆帝御筆匾額「慎贊徽音」，東壁懸掛梁詩正書寫的《聖製曹后重農贊》，西壁懸掛《曹后重農圖》[1]。

延禧宮有個現象：火災多。在東西六宮中，延禧宮的火災最多，發生過幾次？有人說是四次。宮廷秘密，負面事件，疏於記載，歷史真相，難以考證。其中一次，《清宮述聞》記載：道光二十五年（一八四五年）五月二十二日亥（二十一—二十三時）初，延禧宮不慎失火。這場大火，由東配殿起火，延燒正殿五間，東配殿三間、西配殿三間，後殿五間，還有東水房三間等，共燒毀房

1 延禧宮《曹后重農圖》典故，出自《宋史·后妃上》（卷二百四十二）。故事説的是：北宋仁宗皇后曹氏，為北宋大將曹彬之女，在自己居住的宮殿前後，栽種五穀，且養蠶織布，以示重農的德行，而為中國古代著名賢後。永和宮《凡姬諫獵圖》的典故，出自《烈女傳·賢明傳》（卷二）。故事説的是春秋時楚莊王好獵，夫人樊姬多次進諫，楚王不聽。後樊姬以拒絕食物規勸，楚王納諫，勤於政事，三年之後，成就霸業。

屋二十五間。

這場火災，因為廚房失火引起。當時，廚房在延禧宮門裏的東配殿，爐灶在南間，起火後滅火措施不力，延及另兩間，又延及正殿，再蔓延到後殿，整個延禧宮殿，化為一片瓦礫。

這場火災《清宣宗實錄》裏沒有記載。當時的道光皇帝，外敵擾犯，內患屢起，北方大旱，財政拮据，無力興工，拖延下來。到同治十一年（一八七二年）十一月，太監張佺喜口傳奉旨：延禧宮工程，着照式修建。經總管內務府奏，明年方向有礙，擬先勘估，如後年方向相宜，即行修建。（《內務府奏銷檔》）後來才將延禧宮重建。

宣統元年（一九〇九年），隆裕皇太后決定，再度重建延禧宮。重建延禧宮，重在防火災。風水先生認為：五行相生，水能克火。隆裕太后接受太監張蘭德的提

延禧宮秋色（林京　攝）

議，在延禧宮原址上，修築一座水晶宮，以銅鐵為樑柱，玻璃磚為牆壁和地板，整體建在一個直徑長達數丈的水池上，以鎮祝融之災，並由隆裕太后題匾曰「靈沼軒」。這裏的「沼」字，是池塘的意思。《詩經・小雅・正月》曰：「魚在於沼，亦匪克樂。」據《清宮詞》注：宣統己酉（元年，一九〇九年），興修水殿，四周浚池，引玉泉山水環繞之。殿上窗櫺，承用金鋪，不用紙糊，嵌以玻璃。孝定皇后（隆裕太后）自題匾額曰「靈沼軒」，俗稱水晶宮。

這座水晶宮，是甚麼樣子？《清稗史》記載：宮立中央，凡三層，層九間。又四個角，各有一亭，計三十九間，以銅作棟，以玻璃為牆，四望空明，入其中者，如置身琉璃世界。牆之夾層中，置水蓄魚。下層地板亦以玻璃為之，俯首而窺，池中游魚，一一可數，荷藻參差，青翠如畫。

這座水晶宮，從宣統元年（一九〇九

靈沼軒（林京 攝）

年）開始，到宣統三年（一九一一年）為止，做做停停，沒有完工。這期間，同盟志士，頻繁起義，宣統政權，內外交困。紫禁城外爆發了辛亥革命，紫禁城裏卻在興建水晶宮。水晶宮的建築工程，一直到宣統三年（一九一一年）冬季，因財力不足，未能告竣。宣統退位後，時局變遷，經費緊缺，只得罷建，留下一座「爛尾宮」。院置木盆，儲水防火，養殖金魚，瑾妃於此，觀看遊魚。

延禧宮真是多災多難：不僅被火，而且被炸。民國六年（一九一七年）張勳擁戴溥儀復辟，延禧宮北面部分未完工的建築，被飛機炸彈炸壞。

民國二十年（一九三一年），故宮博物院在宮後建庫房，藏貯古物圖籍。

延禧宮的北鄰是永和宮，雍正帝的生母德妃烏雅氏就住在這裏。

二 雍正生母

永和宮，是東六宮中東排居中的宮院，南為延禧宮，北為景陽宮。原名永安宮，嘉靖十四年（一五三五年）更名為永和宮。清永和宮基本上保留了明初的建築格局。永和宮前殿，懸掛乾隆帝御筆匾額「儀昭淑慎」；東壁懸掛梁詩正書寫的《聖製樊姬諫獵贊》，西壁懸掛《樊姬諫獵圖》。「樊姬諫獵」說的是：春秋時的楚莊王，癡迷狩獵，疏於政事。夫人樊姬多次進諫，甚至以拒絕食肉，苦衷進諫。楚莊王改過，奮發作為，三年之後，成就霸業。

永和宮在明代為妃嬪居住，但未見史料記載哪位元妃嬪住在這裏。清朝記載多些，可知康熙帝德妃烏雅氏，在這裏生下了皇四子胤禛和皇十四子胤禵等，胤禛就是後來的雍正皇帝。《清史稿．后妃傳》記載：孝恭仁皇后，烏雅氏，護軍參領威武女。後事聖祖。康熙十七年（一六七八年）十月丁酉（三十日），世宗生。十八年，為德嬪。二十年，進德妃。世宗即位，尊為皇太后，擬上徽號曰仁壽皇太后，未上冊。雍正元年五月辛丑（二十三日），崩，年

雍正帝生母《孝恭仁皇后朝服像》

六十四。葬景陵。子三：世宗（即胤禛），胤祚，胤禵（即允禵）。胤祚六歲殤。女三：其二殤，其一下嫁舜安顏。

烏雅氏當是受到康熙帝的寵幸，怎見得呢？烏雅氏生於順治十七年（一六六〇年），被選入宮後，在康熙十七年（一六七八年）到二十七年（一六八八年）的十年之間，連續生育三子三女，共六個兒女：

（一）康熙十七年（一六七徙年）生皇四子胤禛；

（二）康熙十九年（一六八〇年）生皇六子胤祚，六歲殤；

（三）康熙二十一年（一六八二年）生皇七女，八個月殤；

（四）康熙二十二年（一六八三年）生皇九女，二十歲死；

（五）康熙二十五年（一六八六年）生皇十二女，十二歲殤；

（六）康熙二十七年（一六八八年）生皇十四子胤禵（即允禵）。

在有據可查的康熙帝四十一位后妃中，生育六個子女的只有榮妃馬佳氏和德妃烏雅氏。榮妃馬佳氏生育六位子女的時間為康熙六年到十六年，康熙帝的年齡在十四到二十四歲之間。德妃生育六位子女的時間為康熙十七年到二十七年。這段時間康熙帝的年齡在二十六歲到三十六歲之間。烏雅氏生頭胎胤禛（雍正帝）時十九歲（虛歲），生末胎胤禵（胤禵）時二十九歲。

由上可見，在康熙帝中年時期，烏雅氏是比較受寵的，但她的名號晉為德妃，沒再晉升，即使生下皇十四子胤禵（胤禵），也沒有再得到晉升。

康熙帝親征噶爾丹時，還從蒙古草原派人帶給烏雅氏一封信。《宮中檔・康熙北征諭旨》記載：「給永和宮書一封，若有回書即帶來。」

我在這裏補充一點後宮的資訊：康熙帝有記載的四十一位元后妃中，三十一位后妃生育三十五子、二十女，共五十五位子女；有孝懿皇后等四對姐妹為妃；有至少十五位漢人妃嬪；在康熙朝，有清朝享年最高的后妃定嬪萬琉哈氏（胤祹生母），享年九十七歲。

康熙六十一年（一七二二年）十一月十三日，康熙皇帝賓天。二十日，雍親王胤禛即皇帝位。這一天黎明，鹵簿全設，各官齊集，雍正帝穿着素服，到乾清宮大行皇帝梓宮（靈柩）前，跪告受命。而後，雍正帝在東偏殿換成禮服，到永和宮向皇太后烏雅氏行禮，然後御太和殿，升寶座，鳴鐘鼓，舉行登極大典。（《清世宗實錄》卷一）烏雅氏被尊封為皇太后，但還沒有舉行冊尊典禮，就出了問題。

半年之後，雍正元年（一七二三年）五月二十二日，皇太后烏雅氏病了。雍正帝親到永和宮為母親皇太后侍奉湯藥。第二天，清朝官書記載：「辛丑（二十三日），醜（一—三時）刻，仁壽皇太后崩於永和宮。」（《清世宗實錄》卷七）年六十四。此前，雍正帝奏請皇太后移居寧壽宮，但皇太后堅辭不允。皇太后崩後，二十六日，大行皇太后梓宮移到景山壽皇殿。梓宮由東華門出，進景山東門；雍正帝由神武門出，跪迎於壽皇殿大門外。之後，雍正帝在順貞門設倚廬居住守孝，二十七天。六月十九日釋服，始回養心殿居住。（《清世宗實錄》卷八）

雍正帝生身母親之死，有多種說法。一種說法是，雍正帝逼死生母烏雅氏。《大義覺迷錄》說：「逆書加朕以逼母之名。」看來當時雍正帝「逼母」說流傳很廣。傳說流佈的根由是胤禵（允禵）。雍正帝皇十四弟胤禵（允禵），雖與雍正帝一母同胞，但因胤禵（允禵）同異母八阿哥胤禩同黨，又傳聞康熙帝臨終遺命傳位「胤禵」，而雍正帝篡改為「胤禛」，所以同胞兄弟二人，成了不共戴天的冤家兄弟。雍正帝即位，先是不許撫遠大將軍胤禵（允禵）進城弔喪，又命胤禎（允禵）在遵化看守皇父的景陵，再將胤禎（允禵）父子禁錮於景山壽皇殿左右。雍正帝生母見親生兒子胤禎（允禵）調回北京被關押起來，想一見胤禎（允禵），雍正帝不准。烏雅氏眼看親生兒子被囚禁，作為皇太后能不生氣嗎？太后一氣之下，撞死在柱子上。時人將雍正帝母親的死同他囚禁胞弟胤禎（允禵）兩件事相聯繫，是很自然的事情。乾隆帝繼位後，將皇十四叔允禵（胤禎）開釋。因此，雍正帝生母烏雅氏的死是患病死還是氣死，是正常死還是撞柱死，這是發生在永和宮的一樁歷史懸案。

話題還是說永和宮。最後一位住在永和宮的是光緒帝的瑾妃，她從嫁給光緒皇帝進皇宮，就住在永和宮，一直到病逝。瑾妃和翠玉白菜的史事，人們很有興趣。

三　翠玉白菜

永和宮在歷史上留下了「一人一物」的特殊記憶：「人」是光緒帝的瑾妃，「物」是與瑾妃有關，為天下所知的「翠玉白菜」（又稱「翡翠白菜」）。

先說光緒的瑾妃。《清史稿·后妃傳》記載：端康皇貴妃，他他拉氏，光緒十四年（一八八八年），選為瑾嬪。二十年（一八九四年），進瑾妃。以女弟珍妃忤太后，同降為貴人。二十一年（一八九五年），仍封瑾妃。宣統初，尊為兼祧皇考瑾貴妃，宣統退位後尊為端康皇貴妃。

瑾妃住在哪座後宮呢？清宮檔案記載：光緒十五年（一八八九年）正月初七日，由內交出黃單，載述瑾嬪住永和宮。（《光緒大婚典禮紅檔》）瑾妃也曾光鮮過。在光緒帝大婚禮前，正月十六日，按嬪位元等級妝奩，由總管內務府大臣備齊，送交瑾嬪娘家。嬪位用的杏黃藍圍轎，也由工部製備。瑾嬪進宮前一日，由內務府派總管太監等，持鈿釵、衣服送往嬪位家裏。大婚前三天，瑾嬪的妝奩，由內務府大臣等，前往照料，進神武門，經順貞門，安設在永和宮，由永和宮首領太監接收。瑾嬪進宮時，派乾清宮總管太監一名，敬事房首領太監二名，及本宮首領太監，到嬪位家迎接進宮，采仗前引，樂器吹奏，隆重盛大，氣派非凡。（《光緒大婚典禮紅檔》）

光緒帝大婚禮，瑾嬪在永和宮的鋪墊，檔案記載：

> 東次間前床，大紅氈繡花卉金喜炕毯一，坐褥三，靠背一。東進間前床，大紅氈繡百子炕毯一，大紅緞繡花卉金雙喜坐褥三，靠背一。羅漢床，大紅繡花卉金雙喜大褥一，帳子一。西次間前床，大紅氈繡花卉金雙喜炕毯一，大紅緞繡花卉金雙喜坐褥三，靠背一。西進間，大紅緞繡百子簾子一。前床，大紅氈繡龍鳳雙喜炕毯一，大紅緞繡花卉金雙喜坐褥三，靠背一。寢宮床，大紅氈繡龍鳳雙喜炕毯一，大紅串綢繡龍鳳雙喜玻璃擋八。

光緒帝大婚時，永和宮前後殿及殿外抱廈下，鋪紅地氈，懸掛燈彩。嬪的鋪宮（器用），所用盤、碗、盅、碟，用藍地黃龍、五彩龍鳳兩種。瑾嬪進宮後，要到皇太后、皇上、皇后前，行六肅三跪三拜禮。

瑾嬪與妹珍嬪，同晉為妃，以珍妃忤慈禧，降為貴人。這件事我在講珍妃時介紹過了。後來慈禧太后六十大壽，瑾嬪和珍嬪又同升為瑾妃和珍妃。宣統退位後，瑾妃尊封為端康皇貴妃。瑾妃在永和宮二十餘年，講求飲食，以書法自娛，揮毫丹青，觀賞盆景。瑾妃五十壽辰，特邀梅蘭芳等著名京劇演員入宮演戲。瑾妃在民國十三年（一九二四年）病死於永和宮，享年五十一歲。瑾妃死後不久，馮玉祥兵變，溥儀出宮，她沒有受到驚嚇，也沒有顛簸之苦，平和地結束了人生。

瑾妃也患過難。光緒二十六年（一九〇〇年）七月二十一日淩晨，因八國聯軍入侵，慈禧等倉促起行時，穿藍葛衫出宮，乘鎮國公載瀾的車。光緒帝穿白綢單衣，乘左翼總兵英年的車。皇后、大阿哥溥儁乘民車。瑾妃聞警遲，徒步出宮門，遇到剛毅給賃一輛車，送到莊王府，莊王派車，追到頤和園，見到慈禧太后和光緒帝后，稍坐片刻，即倉促起行。（《西巡大事記》）沿途苦難，一言難盡。回鑾之後，仍住永和宮。

瑾妃居住的永和宮裏，擺着一件「翠玉白菜」。

再說「翠玉白菜」。說光緒帝瑾妃，必說翠玉白菜。二〇一一年台北故宮博物院舉行了一項重要的文化文物活動，就是從其六十八萬件文物藏品中，根據「歷史性、重要性、稀少性、藝術性、人氣性」原則，評選出一百件文物精品，其中的一件就是「翠玉白菜」，並被收錄到台北故宮博物院出版的《精彩100》一書中。這件「翠玉白菜」還被列為台北故宮博物院十大鎮院寶物之一。

翠玉白菜高十八點七釐米，寬九點一釐米，厚五點〇七釐米，它有甚麼藝術特點呢？主要特點是選材巧，用材巧，雕工巧，寓意巧。這株翠玉白菜，就是利用一塊半綠、半白的翠玉為原材，以綠色琢為菜葉，白色琢為菜幫，色彩自然，酷似白菜；葉上又雕琢兩隻螽斯，就是蝗蟲類的昆蟲——植物上有動物，既形象生動，又寓意多子。翠玉上的雕琢增添了這件翠玉白菜的文化含義。但嚴格說來，翠玉的材質並非上選，因為材質中有裂璺（裂紋）、斑塊，要是用在光亮素雅的璧、鐲等裝飾玉器上，便是一種瑕疵。但是，巧匠聰明地選用了白菜這個題材，恰如其分地運用了玉料；原材自然色澤的分佈，讓裂痕藏進彎彎曲曲的葉緣、葉脈之中，而裂璺和斑塊也成了區別不同水感的元素，使白菜似乎受過霜寒，翠玉的自然不完美，呈現出藝術的完美。

其實，早在清初就出現了以白菜為造型的雕竹器物。乾隆帝曾為他所擁有的一件和闐（田）玉器「鏤霜菘花插」題詩，這裏的菘，就是白菜。乾隆帝在御製詩中，特別提醒自己，玉匠是以物藝諫，在上位者應勤政，讓「民無此色」。而後，白菜成為愈來愈流行的題材，近年「白菜」又寓意「擺財」，賦予它新的社會含義，更加受到民眾喜愛。

那麼，光緒帝瑾妃與翠玉白菜有關係嗎？有。

有人說翠玉白菜是瑾嬪嫁給光緒帝時，瑾嬪娘家的一件陪嫁品。這有證據嗎？有。有人列出的一個證據是，這件翠玉白菜就擺在瑾妃居住的永和宮。

這件翠玉白菜，原來擺在甚麼地方？從原典藏編號知道，翠玉白菜原是永和宮內的陳設器物。根據參與故宮首次展覽工作的那志良先生回憶，原來翠玉白菜與一叢靈芝同種在一個琺瑯花盆中，是所謂「寶石盆景」的局部，但當時策展人認為，這樣整體感覺不協調，決定拆離，配上木座，就成了如今「翠玉白菜」的樣貌。

光緒帝瑾妃曾居住在永和宮，因而人們產生推測，翠玉白菜可能是她的嫁妝。由於是嫁妝，所以這件翠玉白菜有着多元的文化含意：其一，葉青梗白的白菜寓意清白，象徵人品純潔；其二，葉尖上的螽斯、蝗蟲則寓意多產，祝福新婦多子；其三，後來人們又把「白菜」諧音為「擺財」，增添財富的觀念。總之，翠玉白菜的自然色澤、人為雕琢、象徵理念和豐富寓意，獲得人們的普遍喜愛，遂成一件不可多得的珍品。（《精彩 100．翠玉白菜》）

但是，台北故宮博物院馮明珠院長跟我說：「翠玉白菜」並不是院裏藏品中的最佳品，院裏藏的玉質白菜也不止一件，但因它既具有「人氣性」，又曾擺放在瑾妃居住的永和宮裏，所以它受到廣泛關注和喜愛普遍，而被列為「精彩 100」之一。

延禧永和，求禧求和。人生命運，不可預測。福常伴以禍，禍也伏以福。光緒帝的珍妃，求愛情，雖得到真愛，卻被塞井而死；她的姐姐瑾妃，求平安，雖平安一生，卻未得到愛情；而隆裕皇太后，求富貴，雖富貴滿堂，卻沒享受真愛。命運往往捉弄人，得此失彼，自古難全。常言道：不必強求，隨緣就好。

第三十八講　景陽咸福

中國有個傳統，皇家收集的文物珍品，帝王們既玩賞，又收藏。改朝換代，文物易主，繼續收藏，成為傳統。所以，故宮博物院珍藏的文物，不僅是明清兩代皇宮裏的文物精品，而且是中華歷代的珍藏國寶。因此海峽兩岸故宮博物院是中華五千年文化與藝術的聖殿。民國以來，皇家收藏變為國家收藏，才真正成為人民的財富。

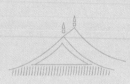

坐落在故宮東六宮東北角的景陽宮和西六宮西北角的咸福宮，既相互對稱，又雙具特色——前殿不是五間，而是三間。這是甚麼原因？史料沒有記載。有人說是因風水，也有人說是給較低品級妃嬪住的。這是個沒有破解的歷史之謎。本章不去破解景陽宮和咸福宮的謎團，而着重敘述明清發生在景陽宮和咸福宮的歷史故事。先從景陽宮「馬后練衣」開始。

一　馬后練衣

景陽宮前殿，懸掛着乾隆帝御筆匾額「柔嘉肅敬」。東壁懸掛着張照書寫的《聖製馬后練衣贊》，西壁懸掛着《馬后練衣圖》。

《馬后練衣圖》的故事源自《後漢書．馬皇后傳》。這幅宮訓圖表現的是東漢明帝馬皇后自奉儉樸的事跡。馬皇后是東漢光武帝伏波將軍、新息侯馬援的幼女。馬援誓言：「丈夫為志，窮當益堅，老當益壯。」馬援馳騁沙場，中矢貫脛，奮立奇功，何等氣概！他在榮耀時，「賓客故人，日滿其門」；但遭誣後，「賓客故人，莫敢吊會」（《後漢書．馬援傳》卷二十四）。馬后少年喪父，繼又喪母，十歲少女，料理家務，治事幹練，如同成人。因父親身後受到權貴嫉恨，蒙誣後，多苦難。她的兄長，想了主意，「求進掖庭」，就是設法進入後宮。於是，兄長上書：一述乃父馬援的顯赫功績；二述「援姑姊妹並為帝婕妤」；三述「竊聞太子、諸王妃匹未備」，就是還沒有婚娶；四述「援有三女，大者十五，次者十四，小者十三，儀狀髮膚，上中以上，皆孝順小心，婉靜有禮」。請求是：「因緣先姑，當充後宮。」書上，應允「入太子宮，時年十三。」（《後漢書．馬皇后傳》卷十上）這位太子就是後來東漢第二任皇帝漢明帝。

太子繼位，馬氏為后，雖受寵愛，卻是無子。後宮賈氏生子，馬后受命撫養，盡心撫育，勝於己出。皇子後來繼位，就是東漢第三任皇帝漢章帝。馬皇后晉為皇太后。馬后在位二十三年，是東漢著名的賢后。馬后美德，主要有四：

其一，好學。「能誦《易》，好讀《春秋》、《楚辭》，尤善《周官》。」喜讀董仲舒的《春秋繁露》，撰寫《顯宗起居注》，她有豐富的文、史、哲知識，學養深厚，知書達禮。

其二，儉樸。「常衣大練，裙不加緣。」這裏的「練」是白素的意思，衣服不加色彩，裙邊不做彩飾。諸貴姬等，朝拜皇后，見皇后「袍衣疏粗」，六宮美姬，莫不讚歎。於是，「馬后練衣」的故事，就流傳開來。

其三，自律。她說：「吾為天下母，而身服大練，食不求甘，左右但着帛布，無香薰之飾者，欲身率下也。」身為皇后，以身作則，自己儉素，做個榜樣。

其四，辭讓。賜馬后娘家侯爵、金帛、府邸，一再辭讓，說：「吾少壯時，但慕竹帛，至不顧命，今雖老矣，而復『戒之在得』，故日夜惕厲，思自降損。居不求安，食不貪飽。……瞑目之日，無所復恨。」就是說，少年以來，羨慕讀書，不顧壽命，雖已年老，「戒之在得」。

無獨有偶。明太祖朱元璋馬皇后也有類似「練衣」故事，「平居服大練浣濯之衣，雖敝不忍易。」馬皇后平日只穿沒有彩繡的普通衣服，反覆洗滌，衣服破舊，不肯換新，繼續使用。

朱元璋皇后馬氏，安徽宿州人，母親死得過早，父親就把她寄養在郭子興家。後來父親也死了，郭子興對她就像親生女兒一樣。郭子興愛重部下朱元璋，就把養女馬氏嫁給他。後來郭子興聽信離間他和朱元璋的讒言，幸虧馬氏在郭子興妻子面前恭順、解釋，嫌隙得以雲散。馬氏親自為官兵縫衣做鞋，又取家裏金銀綢緞犒賞軍士，還經常請朱元璋「定天下以不殺人為本」，朱元璋對馬氏很感激。洪武元年（一三六八年）正月，朱元璋在金陵（南京）即皇帝位，冊馬氏為皇后。

馬后嚴以律己。有一年，江南大旱，軍隊缺糧，經常沒

《明太祖馬皇后像》（局部）

有吃的。而馬后呢？常餓肚子。朱元璋做皇帝後，常在群臣中讚揚馬皇后的賢慧，比如講馬氏「蕪蔞豆粥」（喝菜粥）的故事。後來每逢旱年，馬后就率領後宮妃嬪、宮女等蔬食。（《明史·后妃傳》卷一百十三）

馬后關心士子生活。洪武帝巡視國子監回宮，馬后問有多少生員，回答：「數千。」馬后說：「人才眾矣。諸生有廩食，妻子將何所仰給？」就是說，太學生有助學金，他們的妻子呢！於是設立紅板倉，積糧賜其家，就是專設糧倉，賜糧給生員家裏的妻子。所以《明史·后妃傳》說：「太學生家糧自后始。」政府補貼太學生家裏糧食，從馬皇后開始。

馬后胸有大局。明軍攻克元大都，獲得珠寶美玉，運回明都南京。馬皇后說：「元有是而不能守，意者帝王自有寶歟。」洪武帝說：「朕知后謂得賢為寶耳。」馬皇后的意思是「不以寶為寶，而以賢為寶」。馬后拜謝說：「妾與陛下起貧賤，至今日，恒恐驕縱生於奢侈，危亡起於細微，故願得賢人共理天下。」朱元璋歎道：「至言也。」

馬皇后聽說元世祖忽必烈的皇后，煮舊弓弦的節儉故事，也命取練織為衾裯（被單），以賜高年的鰥寡孤獨。餘下的絲帛，做成衣裳，賜給王妃和公主，讓她們知道桑蠶織衣的艱難。妃嬪宮人被寵生有子女的，從不嫉妒，厚待她們。朱元璋要查訪馬皇后娘家的同族，封給官做，馬后辭謝道：官爵俸祿給外戚家，不合禮法。幾經力辭，才作甘休。

洪武十五年（一三八二年）八月，馬后病危，洪武帝問有甚麼話要說，馬皇后說：「願陛下求賢納諫，慎終如始，子孫皆賢，臣民得所而已。」不久，崩，年五十一。宮人懷念，作歌頌之。（《明史·后妃傳》卷一百十三）

明萬曆帝王恭妃被打入冷宮的悲慘故事，也發生景陽宮。

二 王妃冷宮

明萬曆帝的王恭妃，曾被打入冷宮，這個冷宮就是景陽宮。景陽宮初建成於明永樂十八年（一四二〇年），名長陽宮，嘉靖十四年（一五三五年）改宮名景陽宮。清沿明舊，宮名未改。清康熙二十五年（一六八六年）重修。

景陽宮的規制，景陽門內，前院為景陽宮正殿，兩側為東配殿和西配殿。後院為後殿，兩側也為東配殿和西配殿。

王恭妃被打入冷宮，事情是這樣的。王恭妃，本為萬曆帝生母李太后在慈寧宮的宮女。一個偶然機會，被萬曆帝朱翊鈞過慈寧宮時臨幸，有了身孕。明宮故事，宮中承寵，有兩件事：一是必有賞賜，作為日後驗證；二是文書房內太監做記錄。可是當時朱翊鈞避諱這件事，所以沒有賞賜給信物。王宮女肚子顯懷之後，太后責問，便照實說了。一天，萬曆帝陪侍李太后吃飯，太后話點到這裏，但萬曆帝不回應。李太后命取出內起居注給萬曆帝看，並好語相勸說：「吾老矣，猶未有孫。果男者，宗社福也。母以子貴，寧分差等耶？」萬曆十年（一五八二年）四月，封王氏為恭妃。八月，朱常洛（明泰昌帝）生，是為皇長子。

時鄭貴妃受寵，王氏為萬曆帝生下皇長子朱常洛，雖得到「恭妃」徽號，住進景陽宮，卻被「屏居」在這裏，就是被「打入冷宮」。

不久鄭貴妃因生皇三子朱常洵（皇二子一歲殤），進封皇貴妃，但恭妃並未晉封。萬曆二十九年（一六〇一年）冊立皇長子朱常洛為皇太子，他的母親王恭妃仍不被晉封。直到萬曆三十四年（一六〇六年）二月，以元孫朱由校（後為天啟帝）生，才進封為皇貴妃，但仍被幽禁。[1]

王氏雖兒子做太子，孫子做元孫，自己卻因福得禍，不僅再沒得到萬曆帝的寵幸，而且被萬曆帝隔絕母子聯繫。王恭妃在景陽宮中，孤獨思子，長夜難熬，以淚洗面，哭瞎雙眼。萬曆三十九年（一六一一年）九月十三日，王恭妃病危，當時年已三十歲、立為太子也已十年的朱常洛聞訊後，請求皇父諭准到景陽宮，探視生母，獲得旨准。於是，朱常洛帶着兒子朱由校（十歲）匆匆趕到景陽宮，但「宮門猶閉，抉鑰而入」。有人解釋作「踹開門鎖，沖進宮室」。王妃眼瞎看不見兒子和孫子，但能聽到兒孫進來的聲音，她用手撫摸兒子的衣服，拉着兒子，失聲哭泣，有氣無力地說了一句：「兒長大如此，我死何恨！」（《明史·后妃傳》卷一百十四）尋，王皇貴妃在幽閉中與世長辭，後葬定陵。

景陽宮和咸福宮在清代，後來不居住后妃，雖亦兼具其他功能，但主要用作珍存文物寶藏。

1 《明史·后妃二》記載：「三十四年，元孫生，加慈聖徽號，始進封皇貴妃。」但《明神宗實錄》（卷四百十五）萬曆三十三年十一月記載：「甲申（十四日）戌時，皇太子第一子生。」《明熹宗實錄》（卷一）記載：「熹宗悊皇帝諱（朱由校），光宗貞皇帝第一子也，於萬曆三十三年乙巳十一月十四日生。」是知《明史》上述記載有疏失。王妃晉皇貴妃，事在萬曆三十四年二月丙辰（十七日），似應在「元」字前加「以」字。應作「三十四年，以元孫生，加慈聖徽號，始進封皇貴妃。」

三 宮廷藏寶

明朝景陽宮為嬪妃所居，清朝則不用作妃嬪寢宮，而作為儲書藏畫的場所。景陽宮的後殿，清為御書房。清康熙帝曾在此接見「天下廉吏第一」於成龍，並賜食賜物（銀一千兩、馬一匹），還賜御製詩和御書手卷。乾隆帝御書匾額「學詩堂」，懸掛在殿內，並御書匾聯：古香披拂圖書潤，元氣沖融物象和。景陽宮首領太監，兼管御書房收貯書畫等事。「學詩堂」成為清宮珍藏寶物的一座重要的殿堂。

為甚麼叫「學詩堂」呢？這是由書畫珍寶《毛詩圖》引發的。這裏的「毛」，指傳授《詩經》的毛亨（大毛）、毛萇（小毛），《十三經注疏》中的《詩經》主要依據毛氏所傳，稱為《毛詩》。南宋高宗趙構、孝宗趙眘（古「慎」字）所書寫《毛詩》文，與馬和之所配畫，合稱《毛詩圖》，以其「三名」——名詩、名字、名畫而著稱於世。乾隆時鑒定內府珍藏的《毛詩圖》，因歷年既久，散失者多，便合為一笥（方形竹器），貯藏在景陽宮後殿，乾隆帝題殿額「學詩堂」（清乾隆帝《學詩堂記》）。這是「學詩堂」名稱的由來。

南宋高宗趙構善書，又喜愛馬和之的畫。馬和之，生卒年不詳，錢塘（今浙江杭州市）人，南宋宮廷畫家，位居御前畫家十人之首。於是，趙構、趙眘書寫《詩經》三百篇文，又命馬和之每篇配一幅畫，匯成巨帙，惜僅成五十餘幅，馬和之就去世了。馬和之配畫，筆墨沉穩，結構嚴謹，意境飄逸，別開生面。黃公望贊其作品：「筆法清潤，景致幽深。」其中馬和之《詩經·小雅·鹿鳴之什圖》卷，南宋，絹本，設色，縱二十八釐米，橫八百六十四釐米。全卷書、畫共十段，每段前小楷書《詩經》原文，文後為配圖。首段開頭書「鹿鳴之什」四字，末段書三首詩名及小序，末又書「鹿鳴之什十篇」。《古畫記》載述：「馬和之畫法簡逸，志趣有餘，人物衣褶，用柳葉法。」《石渠隨筆》記載：「馬侍郎畫，畫法在南宋諸家中別具一格。人物衣褶，真有荇帶隨風之致。其《鄭風》、《唐風》、《陳風》、《豳風》、《鳴雁》之什數卷，尤為逸品。」

宋馬和之《毛詩圖》，學詩堂收藏十四卷：《邶風》一卷，乾隆帝御筆補書；《鄭風》一卷，宋高宗楷書；《齊風》一卷，宋孝宗書；《唐風圖》一卷、《陳風圖》一卷、《豳風圖》一卷、《小雅鹿鳴之什圖》一卷、《南有嘉魚之什圖》一卷、《鴻雁之什圖》一卷、《節南山之什圖》一卷、《周頌清廟之什圖》一卷、《閔予小子之什圖》一卷、《魯頌圖》一卷、《商頌圖》一卷，自《唐風》至此，皆宋高宗書。（《石渠隨筆》）歷數十年收集，聚藏於景陽宮學詩堂。

景陽宮學詩堂收藏的唐韓滉《五牛圖》，被譽為中國十大傳世名畫之一，是我國現存最早用紙作畫的國寶[1]。

韓滉（七二三～七八七年），長安（今西安市）人，

1 有人認為，中國十大傳世名畫是：（一）（東晉）顧愷之《洛神賦圖》，（二）（唐）閻立本《步輦圖》，（三）（唐）張萱、周昉《唐宮仕女圖》，（四）（唐）韓滉《五牛圖》，（五）（五代）顧閎之《韓熙載夜宴圖》，（六）（北宋）張擇端《清明上河圖》，（七）（北宋）王希孟《千里江山圖》，（八）（元）黃公望《富春山居圖》，（九）（明）仇英《漢宮春曉圖》，（十）（清）郎世寧《百駿圖》。

是唐朝宰相韓休之子，曾任宰相，封晉國公。幼有美名，天資聰明，善《易》與《春秋》，好鼓琴，長書畫。入仕之後，官至卿相，凡四十年，「性持節儉，志在奉公，衣裘茵衽，十年一易，居處陋薄，才避風雨」（《舊唐書·韓滉傳》卷一百二十九）。公餘之暇，雅愛丹青，尤擅長畫牛。韓滉人品、官品、畫品「三品」俱佳，其中以《五牛圖》格逸調高，最為珍貴，被譽為畫中神品。

《五牛圖》為白麻紙本，橫一百三十九點八釐米，縱二十點八釐米，設色，長卷，有趙孟頫、項元汴、乾隆帝等十四家題記，有「三希堂精鑒璽」、「古希天子」、「乾隆宸翰」等章，乾隆帝視《五牛圖》為「神品」。畫中的五頭牛，從左往右，一字排開，各自獨立，各具姿態。中間一頭為正面，其他四頭都為走動姿勢，五牛既聯成整體，又形態各異：一俯首吃草，一翹首前仰，一靜若淑女，一回首舐舌，一緩步前行。五牛神態，生動可愛。整幅畫面佈局，僅有一叢荊棘，不設任何襯景，增加畫牛難度。畫中表現了牛的不同性情：活潑的，沉靜的，喧鬧的，膽怯的，悠閒的。活靈活現，形貌真切。或行，或立，或止，或俯，或昂，筆墨濃重，色彩各異，線條簡潔，筋骨到位。鼻處絨毛，細緻入微，目光炯炯，體態自然，畫出了五牛溫順而又倔強的性格。

《五牛圖》在北宋時曾收入內府，後南渡有「睿思東閣」、「紹興」等南宋官印。元滅宋後，大書畫家趙孟頫得到了這幅名畫，留下了「神氣磊落、希世名筆」的題跋。明人李日華在《六研齋筆記》裏譽此卷：「神氣溢出如生，所以為千古絕跡也。」清乾隆年間《五牛圖》收入內府。乾隆帝對《五牛圖》非常喜愛，並多次命大臣在卷後題跋。一九〇〇年，八國聯軍侵入京城，《五牛圖》被劫出國外。一九五〇年初，獲悉《五牛圖》在香港。文化部派專家赴港，鑒定《五牛圖》確係真跡，經過多次交涉，終以六萬港元成交。現藏故宮博物院。

景陽宮學詩堂還珍藏有青銅器、瓷器、圖書等。

青銅器：鎛（古代樂器）十二鐘（鐘），設景陽宮（《嘯亭雜錄》）。最初收藏周朝鎛鐘十一尊，後又獲得一尊，合成十二尊，先收藏在西苑瀛台韻古堂中，後移藏在學詩堂珍存。

瓷器：景陽宮收藏元、明、清的瓷器。民國初期，這裏為宋、元、明、清瓷器陳列室。

圖書：景陽宮收藏明洪武帝朱元璋到崇禎帝朱由檢的御製詩文集。如《太祖皇帝欽錄》明楷書抄本，經摺裝，朱筆斷句，所錄大多是朱元璋的口諭、密旨。乾隆帝賞鑒書畫最精，嘗獲宋刻《後漢書》及《九家集注杜詩》，心甚愛惜，命畫苑寫御容於其上。

但是，清朝後期的景陽宮，管理混亂，帳簿記載，有名無實，損失亦多。光

西二長街進入咸福宮的必經之門——咸熙門（林京　攝）

緒二十年（一八九四年），翁同龢受命同孫家鼐到景陽宮檢查圖書（《翁文恭公日記》）。光緒二十年、二十一年間，查景陽宮殿內櫃櫥，都是王原祁和董邦達、董誥父子及劉墉、英和等數十名家書畫。兩壁中為多寶櫥。外簽題宋、元、明某窯某器。經過檢視，皆非原物，參證簽題，無一符合。僅開三兩櫥，不復再閱矣。又查殿堂隔扇後，排列大架，貯藏明人詩文集，從明初洪武到明末崇禎，分代排列，架上充棟。集部多四庫書目未著錄者。既奏，奉旨亦飭編目錄。乃盡發所收藏，以資檢核。別架為宋、元刻本，明人文集。（《敬孚類稿》）

還有一批文物在宮外。如同治年間，山東巡撫丁寶楨清查藩司銀庫，見有四五個巨箱封錮嚴密。問詢庫吏，回答：貯箱已有百餘年，從未開視，不知珍藏何物。因令查閱檔案，知為乾隆帝第六次南巡，中途有詔，命留京王大臣，檢運內府書畫若干種赴行在。運到山東時，令毋庸遞送，因命交山東布政使庫收藏。後沒有諭旨查問，歷任巡撫等從未開視。這批內府書畫、文物中，多鈐「石渠寶笈」及「乾隆御覽之寶」諸璽，都是宋、元、明人的精品，裝潢為玉軸牙籤，陰刻題字，古錦包首，凡數十種。

宣統帝溥儀被驅逐出皇宮後，清室善後委員會派俞平伯等到故宮景陽宮點查文物，於一九二五年四月十三日，曾寫下了點查文物的文章。

總之，清代在學詩堂珍儲文物，成為文物寶庫，僅是故宮藏品的一小部分。故宮博物院的藏品，北京故宮博物院有十八萬七千五百五十八件（套），台北故宮博物院南遷文物有六十五萬件（套），還有中國第一歷史檔案館藏檔案一千萬件（包）、滿文檔案二百萬件（包）。我國有個傳統，皇家收集的文物珍品，帝王們既玩賞，又收藏。改朝換代，文物易主，繼續收藏，成為傳統。所以，故宮博物院珍藏的文物，不僅是明清兩代皇宮裏的文物精品，而且是中華歷代的珍藏國寶。因此海峽兩岸故宮博物院是中華五千年文化與藝術的聖殿。民國以來，皇家收藏變為國家收藏，才真正成為人民的財富。

最後，景陽宮和咸福宮有共同之處，景陽宮已重點講，咸福宮則從簡略。景陽宮有《馬后練衣圖》，咸福宮則有《婕妤當熊圖》。後圖的故事是：一天，馮婕妤隨西漢元帝遊幸御苑，突然獸圈裏的熊出欄，走向皇帝，隨同妃嬪都嚇得四散逃離，唯有馮婕妤挺身御前護衛，侍衛前來，化險為夷。事後漢元帝對馮婕妤更加敬重，其故事也像「馬后練衣」一樣流傳於後世。[1]

東漢明帝馬皇后，後尊為皇太后，在位二十三年，雖沒有留下名字，卻留下可貴精神——好學，儉樸，自律，辭讓。她的生命，普世可鑒：少壯之時，但慕竹帛，雖已年老，戒之在得。日夜惕厲，經常自省。居不求安，食不貪飽。瞑目之日，無所遺憾。

1 咸福宮「婕妤當熊」典故，出自《漢書．外戚傳下》（卷九十七下）。

第三十九講　永壽之奇

明成化帝的王皇后，先後做了三年太子妃、二十四年皇后、十八年皇太后、十三年太皇太后，共計五十八年。王皇后居上不驕，居下不忌，心地善良，言行知禮，看得淡，想得開，心胸寬，氣量大，這是王皇后幸福人生和健康長壽的秘訣。

⌂西六宮東排最南邊的永壽宮，明初叫毓德宮，後改名永壽宮。永壽宮的含義，源自《詩經．小雅．天保》「如南山之壽，不騫不崩」，是壽比南山、健康長壽的意思。《論語．雍也》也說「仁者壽」，人們希求「仁」和「壽」。同永壽宮有關的明清後宮史事，介紹三個后妃不同的人生命運：一是萬妃奇緣，二是紀妃奇遇，三是靜妃奇冤。

一 萬妃奇緣

萬貴妃的愛情奇緣，要從她的丈夫成化帝朱見深說起。朱見深的父親是正統帝，他有三件事情刻骨銘心：三歲時皇父在「土木之變」中被俘，十一歲時皇父復辟，十八歲時皇父病死。皇父病死後，朱見深以皇太子繼承大位，在位二十三年，死時四十一歲。成化帝在明朝諸帝中比較好學，著有《御製詩集成》，凡四卷五百八十九首（《明憲宗實錄》卷一百七十八）。但幼年時的家庭變故，使明成化帝朱見深的感情生活也與眾不同。他一生專寵萬貴妃，他和萬貴妃的因緣，可以說是「奇緣」。

萬貴妃（一四三〇～一四八七年），小名貞兒，山東諸城萬家莊（今一說在諸城市舜王街道，另一說在原桃源鄉萬家莊）人（侯雲昌主編《諸城名人》第四十頁），父親萬貴為縣吏，被貶謫到順天府霸州（今河北省霸州市）。她四歲被選入宮，在明英宗母孫太后宮裏為宮女。小宮女萬氏聰明機智，美麗動人，善解人意，活潑可愛，朱見深做太子時很喜歡萬氏，萬氏就到朱見深的宮裏入侍，實際上成為太子的側妃。明英宗崩逝後十八歲的朱見深繼位，年號成化，即成化帝。朱見深繼承皇位後，萬氏就為成化帝的寵妃。成化二年（一四六六年），萬氏由妃晉為貴妃。

成化帝與萬貴妃兩人年齡相差多少呢？成化帝生於正統十二年（一四四七年）十一月初二日。萬貴妃比成化帝大十七歲，就是說成化帝繼位時十八歲，萬貴妃這年已經三十五歲[1]。

成化帝的后妃，《明史．后妃傳》記載為五人。皇后吳氏，順天（今北京市）人，「聰敏知書，巧能鼓琴」，天順八年（一四六四年）七月二十二日，成化帝剛繼位，就被冊為皇后。八月二十二日，吳氏以正宮皇后自居，對受成化帝專寵的萬妃，心裏有氣，看不過去，她採取的手段是：「摘其過，杖之。」俗話說「投鼠忌器」，皇后怎麼可以杖責皇帝寵愛的萬愛妃呢？成化帝生氣，以「言動輕浮，禮度粗率」（《明憲宗實錄》卷八）為由，將吳皇后廢掉，幽居西宮。廢后之父吳俊，先授都督同知（從一品），因受到連累，被下獄戍邊。吳皇后從冊立到被廢僅一個月。繼任皇后的是王氏。王皇后「終其

1 《明史．后妃傳》記載：「憲宗年十六即位，妃已三十有五。」據《明憲宗實錄》（卷一）記載：「憲宗……純皇帝諱見深，英宗睿皇帝之長子，母今聖慈仁壽太皇太后於丁卯（正統十二年，一四四七年）十一月二日，生上於宮闈。」《明英宗實錄》（卷一百六十）記載：正統十二年十一月庚寅（初二日），今上皇帝生，上之長子也。」由上可見，成化帝年十八繼位，《明史．后妃傳》記載「憲宗年十六即位」有誤。

身，不十幸，無所妒忌」（《罪惟錄．王皇后列傳》卷二）。一輩子受到成化帝寵幸不到十次，但是王皇后對萬貴妃的專寵，史書説她：「萬貴妃寵冠後宮，后處之淡如。」（《明史．后妃傳》卷一百十三）史書還説她「母儀兩朝，壽過八十」。被譽為明史中「最尊且壽」的皇后。明成化帝的王皇后，先後做了三年太子妃、二十四年皇后、十八年皇太后、十三年太皇太后，共計五十八年。王皇后居上不驕，居下不忌，心地善良，言行知禮，看得淡，想得開，心胸寬，氣量大，這是王皇后幸福人生和健康長壽的秘訣。另一位邵妃生下興獻王朱祐杬，是為嘉靖帝

永壽門（林京　攝）

的祖母，也得善終。還有一位是紀妃，後面再詳細講。只有萬貴妃在五位后妃中受到專寵。

萬妃在成化二年（一四六六年）正月，生下皇長子，成化帝大喜，派太監往名山大川寺觀掛袍行香，敬祈禱佑，遂封為貴妃。但是，這位皇子當年夭殤。這年萬貴妃三十七歲，此後不再懷有身孕。

人們要問：萬貴妃比成化帝大十七歲，但不是短暫受寵，而是終身專寵，直到五十八歲薨逝，這是為甚麼呢？她用的甚麼迷魂藥將成化帝迷住了呢？

一是美，「豐豔有肌」，豐滿豔麗，肌體健壯。美是寵妃、愛妃的共同特質。但也有書說她「貌雄聲巨，類男子」，並不豔麗。萬貴妃究竟長得如何，既沒有《長恨歌》描述，也沒有人親眼見過，更沒有影像記錄，只能根據想像去推測，但是在成化帝眼裏，一定是美的。

二是媚，聰穎機警，善諛帝意。作為愛妃，美麗是條件之一，迎合是條件之二。史書說萬貴妃：「機警，善迎帝意。」聰明機智，善於迎合皇上，是萬貴妃的特殊本領。

三是剛，女人柔是美，剛也是美。成化帝愛喝酒，萬貴妃「常戎裝侍酒」；成化帝喜騎馬，常出遊，萬貴妃「每上出遊，必戎服佩刀侍立左右」，博得成化帝的寵愛。「上每顧之，輒為色飛」。成化帝幼年因皇父大起大落，缺少安全感，尤其需要女性的愛護。史有先例：「末嬉冠男子之冠，桀亡天下」（《晉書·五行志上》卷二十七）；唐武宗賢妃王氏，十三歲入宮，善歌舞，性機悟，喜遊獵，着戎裝，「每畋獵苑中，才人必從，袍而騎，校服光侈，略同至尊，相與馳出入，觀者莫知孰為帝也」（《新唐書·后妃傳下》卷七十七）。人們將成化帝的萬妃同唐武宗的賢妃相比。

四是智，籠絡群下，細察動靜。運用手腕，掌控皇帝，後宮妃嬪，難得侍幸。史書寫她：「且籠絡群下，令覘候動靜。」其他妃嬪有孕，派人用藥，進行墮胎。身邊太監，一忤妃意，立遭斥逐。（《明憲宗實錄》卷二百八十六）萬貴妃編織了一個控制整個後宮的嚴密恢恢的妃網。

五是緣，萬貴妃的反常舉動，必然遭到官員反對。然而，官員愈諫，寵愛愈篤。大臣見朝廷數年沒有皇子出生，言官勸帝恩澤普霖，成化帝拒不接受，且寵萬貴妃益甚。蘿蔔白菜，各有所愛，這就是緣。

萬貴妃過於奢華。初居昭德宮，後移安喜宮，進封皇貴妃，服用器物，奢侈至極，四方珍奇，歸己名下。萬貴妃酷愛寶石，「京師富家，多進寶石得寵幸，賞賜累巨萬」。大太監梁芳就是靠「日進美珠珍寶悅妃意」而飛黃騰達的（《萬曆野獲編》）。萬氏一門，父兄弟侄，恩澤普受，異乎尋常。賞賜金珠寶玉，多得無法計算。甲第宏侈，田連州縣，倖幸出外，科斂民財，傾竭府庫，騷擾百姓。

花開有謝，貴妃暴死。怎麼死的？書有兩說：一說是萬貴妃命鞭撻一宮婢，憤怒至極，氣咽痰湧，一口氣憋死；另一說是《罪惟錄》記載「或曰左右縊萬死」，就是被其身邊的太監或宮女勒死。這自然是無法考據了。成化帝驚聞萬貴妃噩耗，不語久之，長歎曰：「萬侍長去了，我亦將去矣！」於是，悒悒無聊，寢食不安，同年崩逝。

萬貴妃故事稱奇，紀妃的故事更奇。

二　紀妃奇遇

萬貴妃的爭寵者紀妃，奇遇成化皇帝，演繹出一段歷史故事。

紀妃，賀縣（今廣西賀州市）人。本土官之女。成化年間出征，俘入後宮，為宮女。紀氏聰明敏慧，通曉書文，命看守內府珍藏。時萬貴妃專寵，嫉妒其他妃嬪，後宮如有身孕，便設法使其墮胎。大學士彭時、尚書姚夔曾為此諫言。成化帝說：「內事也，朕自主之。」並不採納。萬貴妃更驕橫。太監一忤其意，立即斥逐。後宮御幸有身孕的，飲藥損傷墮胎者難計其數。有的妃子，生下兒子，卻被害死。柏賢妃生悼恭太子，也為其所害。

一天，成化帝偶然到內府珍藏文物處，詢問紀氏，對答滿意。成化帝一高興，就在內府幸了紀氏，遂懷有身孕。萬貴妃知道後，又嫉又恨，令宮女給鉤下胎兒。宮女謊報紀氏是「病痞」。紀氏就被貶謫到西內安樂堂居住。安樂堂在金鼇玉崠橋（今北海大橋東）西，欞星門北，羊房夾道內。凡宮人病老或有罪，就先發到此堂，待年久再發到浣衣局。宮女們謊報紀妃是痞病後，紀妃就被送到西內安樂堂。

紀氏十月懷胎，到了產期，生下一兒，就是朱祐樘，也就是後來的弘治帝，即明孝宗。萬貴妃命守門太監張敏（福建同安人），將新生小兒在水裏溺死。張敏驚訝道：「上未有子，奈何棄之。」於是，偷偷用粉湯蜜糖哺育小兒，怕被發現，藏之他室。萬貴妃派人到處尋找，也沒找到。待小兒長到五六歲時，未敢剪掉胎髮。這時，廢后吳氏，謫居西內，靠近內安樂堂，密知這件事，也親自往來哺養，成化帝不知也。

成化帝自萬貴妃生的皇長子死後，一直沒有男孩，皇帝無嗣，內外為憂。成化十一年（一四七五年），成化帝召張敏梳頭，照鏡歎道：「老將至而無子！」張敏立刻跪地奏道：「死罪，萬歲已有子也！」帝愕然，問安在。對曰：「奴言即死，萬歲當為皇子主。」太監懷恩頓首奏道：「張敏言是。皇子潛養西內，今已六歲矣，匿不敢聞。」成化帝大喜，當天幸西內，派遣太監前往迎接皇子。使臣到紀氏居所，紀氏抱着皇子哭泣道：「兒去，吾不得生。兒見黃袍有須者，即兒父也。」於是，給皇子穿上小緋袍，乘小輿，擁至階下，頭髮披地，走投帝懷。成化帝將兒子抱在膝上，撫視久之，既悲又喜，流着淚說：「我子也，類我。」是我的兒子，很像我！派太監懷恩赴內閣，傳告事情原委。群臣聞知，皆大歡喜。次日，入賀，頒詔天下。

紀氏被封為妃，由西內安樂堂，移居西六宮的永壽宮。成化帝也數次召見紀妃，相與飲酒，很是歡快。萬貴妃聽說後，日夜哭泣，埋怨歎息道：「群小紿（欺騙）我！」這群小子欺騙我！

同年六月，紀妃暴薨。紀妃死因，有說是萬貴妃密置毒酒害死的，也有說是自縊死的。張敏害怕，也吞金死。

朱祐樘立為太子，得到成化帝生母周太后保護。時周太后居仁壽宮，跟皇帝說：「以兒付我。」小太子朱祐樘跟着周太后住在仁壽宮。一天，萬貴妃召太子朱祐樘吃飯，周太后跟太子說：「兒去，無食也。」孩子，你去了不要吃東西！皇太子到了，萬貴妃賜食，說：「已飽。」給他羹喝，說：「疑有毒。」萬貴妃生氣地說：「是兒數歲即如是，他日魚肉我矣。」這個孩子這麼小就這樣，將來還不以我為魚肉呀！

這裏附及重視善事的周太后，為順天昌平（今北京昌平區）人。成化十四年（一四七八年），周太后懿旨出內帑重修京師西郊名剎大覺寺（《御製重修大覺寺碑記》）。其從弟周雲瑞（吉祥）為僧錄司左善世（正六品），兼大覺寺住持，於弘治五年（一四九二年）圓寂。今存寺南「周雲瑞和尚塔」及碑記可作史證。（舒小峰《北京兩處明代周吉祥塔考辨》，姬脈利主編《陽台集——大覺寺歷史文化研究》）

朱祐樘即位後，追諡母親淑妃為孝穆慈慧恭恪莊僖崇天承聖純皇后，遷葬茂陵，別祀奉慈殿。弘治帝悲念母親，特遣太監蔡用前往，瞭解太后娘家，得到太后之「紀父貴、紀祖旺兄弟」資訊，回宮奏報。弘治帝大喜，改父貴名貴，授為錦衣衛指揮同知；改祖旺名旺，授為錦衣衛指揮僉事。並賜予第宅、金帛、莊田、奴婢，數量之多，不可勝計。追贈太后父為中軍都督府左都督，母為夫人。遣官修太后在廣西賀縣的祖塋，置守墳戶，守護墳塋。但是，後又查，為不實，遣戍貴和旺。弘治三年（一四九〇年），禮部尚書耿裕奏道：粵西當大徵之後，兵燹（野火）饑荒，人民奔竄，歲月悠遠，蹤跡難明。昔高皇后與高皇帝同起艱難，化家為國，高皇后父，當后之身，尋求家族，尚不克獲，然後立廟宿州，春秋祭祀。今紀太后幼離西粵，入侍先帝，連、賀非徐、宿中原之地，陛下訪尋雖切，安從得其實哉！臣愚謂可定擬太后父母封號，立祠桂林致祭。帝曰：皇祖既有故事，朕心雖不忍，又奚敢違！於是封紀后父為慶元伯、母為伯夫人，立廟桂林府。（《明史·后妃傳》卷一百十三）

三　靜妃奇冤

靜妃，博爾濟吉特氏，原是順治帝的皇后，以「無能」被廢后，降為靜妃，所以名為「靜妃奇冤」。在講這樁奇冤之前，先講永壽宮的《班姬辭輦圖》。

永壽宮的前殿，懸掛乾隆帝御筆匾額「令儀淑德」。東壁懸掛梁詩正書寫的《聖製班姬辭輦贊》，西壁懸掛《班姬辭輦圖》（《國朝宮史》卷八）。永壽宮在明永樂十八年（一四二〇年）建成。清順治十三年（一六五六年）五月，永壽宮重修完成（《清世祖實錄》卷一百一）。光緒二十三年（一八九七年），永壽宮全宮進行了大修（《內務府奏銷檔》）。

「班姬辭輦」的故事，主人公是班姬，她是西漢成帝的妃子。班家的班彪、班固、班昭等「父子昆弟侍帷幄」（《漢

永壽宮內景（林京　攝）

書·成帝紀》卷十）。西漢成帝名驁，是西漢十二位皇帝中的第九位皇帝，在位二十七年，有七個年號。他的祖父是漢宣帝，父親是漢元帝。他爺爺漢宣帝很喜歡這個孫子，立為皇太孫。他三歲時爺爺漢宣帝死了，他父親漢元帝繼位，於是他就成為皇太子。他父親漢元帝在位十六年又死了，他繼承皇位時十九歲，在位二十七年，壽四十六。班婕妤喜讀書史，高雅自律。漢成帝為能與班婕妤形影不離，特別命人製作了一輛大輦車，可二人乘坐，同車出遊，卻被班婕妤婉拒說：「觀古圖畫，聖賢之君皆有名臣在側，三代末主，乃有嬖女，今欲同輦，得無近似乎！」（《漢書·外戚傳》卷九十七下）就是說，如妾跟您同車出進，您豈不是和亡國之君相似嗎？成帝的母親聽後說：「古有樊姬，今有班婕妤。」

清朝在永壽宮居住過的后妃，有順治帝廢后博爾濟吉特氏，有順治帝的恪妃、嘉慶帝的如妃，有乾隆帝的生母等。本節重點講順治帝的廢后而降為靜妃的博爾濟吉特氏。

博爾濟吉特氏，蒙古科爾沁部卓禮克圖親王吳克善之女，孝莊文皇后的侄女。是由孝莊太后和睿親王多爾袞做主，為順治帝選定和禮聘的皇后。博爾濟吉特氏，《清史稿·后妃傳》說「后麗而慧」既美麗，又聰慧。順治八年（一六五一年）八月，冊封博爾濟吉特氏為皇后。皇后博爾濟吉特氏，生長在蒙古科爾沁貴族之家，有着成吉思汗的高貴血統，父親是親王，姑奶奶是皇太極的皇后，一個姑姑是皇太極的關雎宮妃，另一個姑姑是皇太極永福宮妃，也就是當時的孝莊皇太后。皇后博爾濟吉特氏自幼生活優裕，嬌生慣養，史書說她「嗜奢侈」，而順治帝「好簡樸」。這對姑表姐弟小夫妻，都有個性，都不懂事。小皇后屢屢「忤上」。

小皇后沒有弄明白一個道理：自己已經是順治帝的皇后，而不僅是科爾沁親王的格格；自己已經是順治帝的皇后，而不僅是順治帝的表姐。因小皇后不會像萬貴妃那樣善於迎合帝意，幾次頂撞，惹怒夫君，順治十年（一六五三年）八月，也就是新婚後兩年，順治帝命大學士馮銓等，上奏前代廢后故事。馮銓等疏諫，順治帝嚴拒。馮銓等奏問廢后理由。順治帝回答說：「無能！」又說：「因無能，故當廢。」並斥責諸臣沽名釣譽。當天，順治帝奏告孝莊太后，降皇后為靜妃，改居側宮。下禮部，禮部員外郎孔允樾等十三人，分別具疏，據理力爭。孔允樾略言：「皇后正位三年，未聞失德，特以『無能』二字定廢嫡之案，何以服皇后之心？何以服天下後世之心？君后猶父母，父欲出母，即心知母過，猶涕泣以諫；況不知母過何事，安忍緘（閉口）口而不為母請命？」順治帝命諸王等再議。集議的意見奏上：仍以皇后位中宮，而別立東西兩宮。順治帝不許，令覆議。順治帝斥責孔允樾覆奏，允樾具疏引罪。諸王大臣再議，請從順治帝旨意。順治十年（一六五三年）八月，諭禮部：「朕惟自古帝王，必立后以資內助。然皆慎重遴選，使可母儀天下。今后乃睿王於朕幼沖時，因親訂婚，未經選擇。自冊立之始，即與朕志意不協，宮闈參商，已歷三載。事上御下，淑善難期，不足仰承宗廟之重，謹於八月二十五日，奏聞皇太后，降為靜妃，改居側宮。」（《清世祖實錄》卷七十七）皇后博爾濟吉特氏竟然就這樣被廢掉。

博爾濟吉特氏廢后為妃之後，到底住在哪座後宮？

有一段記載：今年春，永壽宮始有疾，后亦躬視扶持，三晝夜忘寢興，其所以殷殷慰解悲憂，預為治備云云。（清順治帝撰《董妃行狀》）這段史料，有人解釋：后，就是董后，也就是董鄂妃。永壽宮病者是誰？有人認為：永壽宮病者，即指廢后博爾濟吉特氏。

萬妃受寵，幾百年來，朝野內外，百思不解。其實就是一種緣。緣，看不見，摸不著，心靈所繫，真實存在，其中奧妙，耐人尋味。

第四十講　啟祥長春

啟祥宮為西六宮之一，明永樂十八年（一四二〇年）建成，原名未央宮，因嘉靖帝生父興獻王朱佑杬生於此宮，所以嘉靖十四年（一五三五年）更名為啟祥宮，意思是開啟祥瑞之宮。

⌂ 西六宮靠西一排，南為啟祥宮（太極殿），中為長春宮，北為咸福宮。啟祥宮與長春宮，咸豐時打通，連成一體，合為一座宮院。

一 啟祥故事

啟祥宮為西六宮之一，明永樂十八年（一四二〇年）建成，原名未央宮，因嘉靖帝生父興獻王朱祐杬生於此宮，所以嘉靖十四年（一五三五年）更名為啟祥宮，意思是開啟祥瑞之宮。啟祥宮的史事，本講介紹「興獻王母」、「萬曆食言」、「天啟二妃」三個故事。

興獻王母。興獻王朱祐杬是明憲宗成化帝朱見深的第四子，是明孝宗弘治帝朱祐樘之弟，生母為邵妃。明武宗正德帝朱

太極殿（原啟祥宮）內景（林京　攝）

厚照死後無子，「父死子繼，兄終弟及」，由興獻王朱祐杬之子朱厚熜繼位。朱祐杬在成化二十三年（一四七八年）封為興獻王。弘治四年（一四九一年）在安陸（今湖北鍾祥）建府邸。三年後，興獻王朱祐杬就藩。興獻王「嗜讀書，絕珍玩，不畜女樂，非公宴不設牲醴」（《明史·興獻王皇帝傳》卷一百十五）。其母邵氏，浙江昌化人，家境赤貧，賣給杭州鎮守太監。鎮守太監將邵氏獻進皇宮。邵氏「知書，有容色」，受寵幸，生皇子，後晉為妃，再晉貴妃。兒子就藩，不得隨從，留在宮中。孫子朱厚熜繼承皇位，邵貴妃已老，眼睛也已瞎。史載：「世宗入繼大統，妃已老，目眚矣，喜孫為皇帝，摸世宗身，自頂至踵。已，尊為皇太后。」（《明史·后妃傳》卷一百十三）邵太后善終。謚孝惠，與孝貞（王皇后）、孝穆（紀太后）禮制等同。

萬曆食言。明神宗萬曆帝自乾清宮和坤寧宮火災後，就居住在啟祥宮[1]。萬曆帝在啟祥宮有一段君王戲言的史事。萬曆帝派太監到各地搜刮錢財，激起民憤，以陳奉和馬堂為例。御馬監太監陳奉到湖廣，作惡多端：「鞭笞官吏，剽劫行旅，商民恨刺骨」；到荊州，「聚眾千

1 萬曆帝住在啟祥宮的起訖時間記載不詳，但有大概時間框架：萬曆二十四年（一五九六年）三月乙亥戌刻（十九—二十一時），乾清宮火災。萬曆三十二年（一六〇四年）三月甲子十四日「乾清宮成」，中間有八年的時間。

人噪於途，競擲瓦石擊之」；到武昌，激民變「奉嚇詐官民，僭稱千歲，其黨直入民家，姦淫婦女……以致士民公憤，萬餘人甘與奉同死」；民眾氣憤，誓必殺奉，陳奉逃匿到楚王府，便將被捉獲的黨徒十六人投入江中（《明史．陳奉傳》卷三百五）。天津稅監馬堂也是如此，到臨清，「中產之家，破者大半，遠近罷市。州民萬餘縱火焚堂署，斃其黨三十七人」（《明史．馬堂傳》卷三百五）。其他各地稅監礦監，作惡多端，民怨極大。首輔沈一貫奏言：「陳奉入楚，始而武昌以變，繼之漢口……等處，變經十起，幾成大亂。立乞撤回。」結果是：「帝皆不聞。」

事情在萬曆帝病危時有所轉機。萬曆三十年（一六〇二年）二月十六日巳時（九—十一時），萬曆帝病危。急召輔臣及部院大臣到啟祥宮外。萬曆帝在啟祥宮後殿西暖閣，獨召內閣大學士沈一貫到病榻前。這時坤寧宮王皇后、翊坤宮鄭貴妃因「養屙」不在身邊，李太后面南立，皇太子及諸王羅跪於前，萬曆帝具冠服席地坐。沈一貫進來後叩頭畢，萬曆帝說：「沈先生來，朕恙甚虛煩，享國亦永，何憾！佳兒佳婦，今付與先生，先生輔佐他，做個好皇帝，有事還諫正他講學，勤政。礦稅事，朕因三殿兩宮未完，權宜採取，今宜傳諭及各處，織造、燒造俱停止……朕見先生這一面，舍先生去也。」（《萬曆起居注》三十年二月十六日）沈一貫呼萬歲，稱謝，並說：聖壽無疆，何乃過慮如此，望皇上寬心靜養，自底萬安。因不覺失聲。這時，皇太后、太子、諸王皆哭。萬曆帝從地上起來上床。沈一貫等回到內閣朝房值班擬旨。到了二更，長安門守門官遞送「聖諭」到內閣，內容如前。二更後，萬曆帝稍蘇。十七日，「上遣文書官至內閣，取回前諭」（《明神宗實錄》卷三百六十八）。就是萬曆帝所示聖諭，旋即取回。（《萬曆野獲．壬寅歲厄》）大學士沈一貫奏稱：「昨恭奉聖諭，臣與各衙門俱在朝房直宿，當下悉知，捷於桴響，已傳行矣。頃刻之間，四海已播，欲一一回，殊難為力。成命既下，反汗非宜，惟望皇上三思，以全盛德大業，以增遐壽景福。」（《明神宗實錄》卷三百六十八）萬曆帝說：「朕前眩暈，召卿面諭之事，且礦稅等項，為因兩宮三殿未完，帑藏空虛，權宜採用，見今國用不敷，難以停止，還着照舊行，待三殿落成，該部題請停止。」（《萬曆起居注》三十年二月二十日）堂堂皇上，出爾反爾，國君戲言，內閣奈何！

天啟二妃。明天啟帝在《明史·后妃傳》中立傳的兩位妃子——裕妃和成妃的悲劇，都同長春宮有直接或間接的關係。

裕妃，飲簷溜而死。裕妃是天啟帝的妃子，天啟帝十六歲登極，在位七年，二十三歲病死，他的妃子也不過二十歲上下。這位裕妃，年紀輕，不懂事，性剛烈，為天啟帝乳母客氏和宦官魏忠賢所不容。客魏勾結，壞事做盡，「順我者昌，逆我者亡。」客魏合謀，幽禁裕妃，「幽於別宮，絕其飲食。天雨，妃匍匐飲簷溜而死。」

成妃，藏食簷瓦間。明天啟帝成妃李氏，曾居住在長春宮。李成妃仗義助人，卻招來橫禍。這件事情的原委是：慧妃范氏生下皇次子慈焴，夭殤之後，遭到冷遇。史書記載：「李成妃侍寢，密為慧妃乞憐。客、魏知之怒，亦幽成妃於別宮。妃預藏食物簷瓦間，閉宮中半月不死，斥為宮人。」（《明史·后妃傳》卷一百十四）熬到崇禎初，才恢復名號。就是說，李成妃仗義助人，為慧妃向皇帝說情，希望天啟能夠可憐范慧妃的處境。但這點耳語之言，竟被客氏的心腹探聽到，客氏便懲治李成妃，以皇帝名義下旨，斷絕了李成妃的膳食。李成妃搬出長春宮，被打入冷宮。有宮詞寫道：「眾中自恃獨承恩，錦帳宵分夜語頻。回首繁華成往事，蕭蕭雪霰別長春。」

清朝康熙帝的僖嬪，雍正帝的謙妃，乾隆帝的孝賢純皇后等，都曾在長春宮住過。長春宮因咸豐改建和慈禧居住而更加聞名。

二 咸豐改建

長春宮也是西六宮之一，明永樂十八年（一四二〇年）建成，初名長春宮，嘉靖十四年（一五三五年）改稱永寧宮，萬曆四十三年（一六一五年）復稱長春宮。長春宮在啟祥宮的北面，兩宮南北相鄰，清康熙二十二年（一六八三年）重修，後又多次修葺。

啟祥宮前殿，懸掛乾隆帝御筆匾額「勤襄內政」，東壁懸掛張照書寫的《聖製姜后脱簪贊》，西壁懸掛《姜后脱簪圖》。故事取自漢朝劉向《列女傳·周宣姜后》：「周宣姜后者，齊侯之女也。賢而有德，事非禮不言，行非禮不動。宣王常早臥晏起，姜后脱簪珥，待罪於永巷，

長春宮（林京　攝）

使人通言於王曰：『妾之不才，妾之淫心見矣，至使君王失禮而晏朝，以見君王樂色而忘德也……敢請婢子之罪。』王曰：『寡人不德，實自有過，非夫人之罪也。』遂覆姜后，而勤於政事。」這個故事的寓意是后妃輔主，既以禮制情，也以理制情。

長春宮前殿，懸掛乾隆帝御筆匾額「敬修內則」，東壁懸掛梁詩正書寫的《聖製太姒誨子贊》，西壁懸掛《太姒誨子圖》。[1]

咸豐九年（一八五九年），啟祥宮與長春宮在建築格局上，發生重大變化，主要是通過改建，兩宮連成一體。具體說來，主要有五：

其一，連通：拆除長春宮的宮門長春門及兩側院牆，將啟祥宮後殿改為穿堂殿，咸豐帝題額「體元殿」，啟祥、長春兩座宮院，由此連通成為一體。

其二，抱廈：後給體元殿接出三間後抱廈，南北六點九米，東西十四點七米，面積為一百〇一點四三平方米，成為長春宮院內的戲台。抱廈匾額「境清心靜」，柱聯：「西山濃翠迎朝霞，南陸微薰送午涼。」

其三，宮門：太極殿的宮門未設在中間，而是偏東。

1 長春宮「太姒誨子」典故，出自《史記．管蔡世家》。故事說：「武王同母兄弟十人，母曰太姒，文王正妃也。」又《烈女傳》云：太姒「旦夕勤勞，以進婦道。太姒號曰文母。文王理外，文母治內。太姒生十男，教誨自少及長，未嘗見邪僻之事，言常以正道持之也」。

東西六宮的十二座正門，只有太極殿—長春宮的宮門正門不居中。

其四，等級：宮正中設地屏寶座。長春宮前簷出廊，天花繪金龍和璽彩畫，啟祥宮改名太極殿，正殿前左右設銅龜、銅鶴各一對。顯然禮制更高，並具殿堂功能。

其五，合一：改建後的啟祥宮（太極殿）和長春宮，正殿與後殿，及其東西配殿，前後出廊，轉角遊廊，東西耳房各開一間為通道，互相連接，經太極殿後殿（體元殿）的穿堂殿，並經各宮殿相連的回廊，使啟祥宮（太極殿）與長春宮，由原各自獨立的二進院，連成貫通合一的四進院。

為甚麼這樣做呢？據專家分析，主要原因是：其一，為紀念咸豐帝登極十周年；其二，為慶祝咸豐帝三十大壽；其三，為往來近便。長春宮南院牆距養心殿北院牆七米，長春宮南正門到養心殿「如意門」十二點二米。就是說咸豐帝如住在長春宮，到養心殿上班，最近距離為七米，最遠距離為十二點二米，既方便，也近便；其四，可能是最主要的，奕詝這番興工改建與他患有「骽疾」相關。這裏我解釋「骽」字：《玉篇》釋作「腿股」，有說是指股骨頭，也有說是指大腿骨。奕詝當年騎馬摔傷，成為瘸腿，長期體弱，走動不便，跪拜起立不靈活，連天壇大祭也要派人恭代。他住在這裏，兩宮打通，上朝下朝，台階少，路程近。但是，工程完工不久，咸豐帝逃往承德避暑山莊，第二年病死，長春宮後來實際成為皇太后之宮。

啟祥宮與長春宮合併改建工程，國家圖書館藏有相關圖樣，就是《長春宮啟祥宮糙底》。今見太極殿、長春宮狀況，基本是咸豐末年的原狀。新太極殿、長春宮使人聯想到乾清門、乾清宮、坤寧宮，雖有大小高低的禮制差別，卻略仿後三宮，並部分取代其功能。（楊文概《奕詝併長春宮啟祥宮為一宮的前因後果》，載《中國紫禁城學會論文集》第六集）

三 長春慈禧

晚清同治時期，慈安和慈禧兩太后都曾住在長春宮。長春宮留下慈禧居住的歷史記憶：長春三事。

慈禧居住長春宮。慈禧入宮後，住在儲秀宮。咸豐十一年（一八六一年），咸豐帝梓宮（棺材）由熱河抵京。慈安與慈禧攜六歲同治帝回到紫禁城，執掌權力，垂簾聽政。這段時間，慈安和慈禧在養心殿垂簾聽政，她們住在哪裏呢？有時慈安住養心殿後寢殿體順堂（綏履殿），慈禧住養心殿後寢殿燕喜堂（平安室），但更多時日慈安和慈禧住長春宮。

長春宮內景（林京　攝）

兩宮太后是甚麼原因住在長春宮呢？一因，東西六宮中長春宮前殿廊下匾額「澂心正性」和體元殿匾額「體元殿」，由咸豐帝御筆題寫，她們有先帝情結。二因，長春宮距養心殿較近，便於垂簾聽政。三因，兒子同治帝住養心殿後殿，關照皇兒，比較近便。這期間，慈安和慈禧主要居住在長春宮。

慈安和慈禧早期垂簾聽政的軍政大事，都同養心殿和長春宮有關。同治三年（一八六四年），清軍克復金陵，太平天國覆亡，曾國藩以六百里加急紅旗報捷。九歲的同治帝分別到母后慈安的綏履殿和聖母慈禧的平安室，向兩宮太后賀喜。同治十年（一八七一年），同治帝醞釀親政，慈安從長春宮搬回鍾粹宮居住，長春宮便成為慈禧太后一人獨享的宮院。長春宮庭院中花木與鍾粹宮同，蘋果樹獨多，早春葉綠，晚秋果紅。

慈禧太后四十大壽是在長春宮過的。

慈禧慶壽長春宮。同治十三年（一八七四年）十月十日，為慈禧太后四旬大壽，這自然是要大辦的。長春宮佛堂、正殿、後殿及體元殿佛堂等處，鋪設地毯、床毯、簾幔、坐褥、靠背、桌套、杌套等項三百多件，共用白銀十七萬多兩。現長春宮前殿及配殿門前楹柱上的對聯，都是慈禧舉辦隆重的壽禮時，詞臣恭進的祝壽諛詞。慈禧題長春宮聯：「月傍九霄，眾星齊北拱；山呼萬歲，爽靄自西來。」這是她身為「女皇」中年志得意滿的寫照。慈禧太后為慶四十大壽，自初五日起，長春宮天天演戲，連續半個月，晚八點散場，近支王公、后妃公主、大臣命婦等，每天在這裏陪着慈禧皇太后看戲。萬幾之暇，戲劇之外，還「召唱盲詞者入宮，演說諸般故事」（《南亭筆記》）。晚清隨着譚鑫培、汪桂芬等進宮演戲，也有盲人到後宮為宮眷、宮女們說弦子書（子弟書）。

但是，慈禧的四十大壽，既是她大喜的一年，也是她大悲的一年。民間常説人生三大不幸：幼年喪父、中年喪偶、晚年喪子，似乎慈禧都遇上了。她十九歲喪父，也還算早；二十七歲喪夫，卻是中年；四十歲喪子，步入晚年。慈禧四十大壽剛過不久，同治帝得上天花，不治而死，才十九歲。這對慈禧來説，是一個天大的打擊。她在長春宮一手掌控，立了既是侄子、又是外甥的載湉為帝。光緒十年（一八八四年），慈禧從長春宮遷回到她早年居住的儲秀宮。慈禧死後，三歲的宣統皇帝溥儀即位，光緒帝皇后隆裕被尊為太后。這位清廷最後一任皇太后，是在

長春宮內的《紅樓夢》壁畫

長春宮接受皇太后徽號的。

紅樓四壁長春宮。長春宮正殿廊廡的四面廻廊內壁上，繪有以《紅樓夢》為題材的巨幅壁畫，東北和西北角各五幅，東南和西南角各四幅，共十八幅，均屬晚清作品，其中有「怡紅院」，有「瀟湘館」，還有賈母逛大觀園等。繪製的眾多人物色彩鮮豔，栩栩如生；畫中的亭台樓閣形象逼真，有立體感。《紅樓夢》自乾隆時期面世，書生輾轉抄閱，仕女私相傳誦。後宮中有大量閒暇時光的妃嬪們，喜歡以「才子書」消磨時光，慈禧也不能免俗。長春宮的《紅樓夢》壁畫，據傳是光緒帝珍妃和瑾妃提議繪製的，自然得到慈禧太后的俯允。壁畫繪製者是誰？宮史無載。有人認為是內廷如意館蘇州畫工所繪。光緒朝侍讀學士吳士鑒在《清宮詞》中自注：瑾、珍二貴妃，令畫苑繪《紅樓夢》大觀園圖，交內廷臣工題詩。另有人認為是出自民間藝人之手。紅學家周汝昌先生在《紅樓四壁駐長春》文中說：這些《紅樓夢》壁畫，實出於地安門的一家彩畫鋪的藝人之手。身懷絕技的畫師和藝人，給人們留下了這樣的藝術品。畫筆精細，典雅清秀，顯示出畫師們的精湛藝業和深厚功力。

文繡孤獨長春宮。長春宮最後一位主人是清遜帝溥儀的淑妃文繡。康熙帝題、慈禧書長春宮匾聯：「麟遊鳳舞中天瑞，月朗風和大地春。」文繡人生中得到了「天上的瑞」和「地上的春」嗎？

文繡於一九〇九年十二月二十日生於滿洲貴族世家，為鑲黃旗額爾德特氏端恭之女，又名傅玉芳。一九二二年三月，由遜帝溥儀閱看相片「欽定」，十七歲的郭布羅·婉容選為皇后，十四歲的額爾德特·文繡選為皇妃。文繡做皇妃既未能享受「皇妃」之樂，還遭受「皇后」「婉容的冷眼，這是她悲劇人生的開始。

從一九二二年冬到一九二五年冬，文繡在長春宮生活。她每天除早晚到養心殿向溥儀問安，到太妃們住的宮中例行問安外，回到長春宮或讀書，或督導宮女讀書、刺繡。一九二六年故宮開放時，長春宮還保留着文繡住過的痕跡。正堂西側一間是文繡臥室，再西一間是書房，桌案上陳放着小說等書，還有幾幅她的親筆小楷；正堂東側一間是文繡的浴室；再東一間有兩個櫥櫃，東壁有山水畫和油畫，教授文繡英文的美國女教師凌若雯的畫作。屋中還擺放着一張溥儀、婉容、文繡與英文女教師凌若雯夫婦的合影。配殿承禧殿裏都是西式陳設，南間有書案、風琴等物，還有至聖先師孔子的牌位，牆壁上懸掛着地圖。文繡獨居長春宮，精心讀書，學習文學，書籍成為她的精神伴侶。

一九二四年十一月五日，文繡做「妃子」不到兩年，才十六歲（虛歲），便遇上馮玉祥的「逼宮」，隨溥儀離開皇宮。一九三一年十月二十二日，文繡與溥儀在天津簽訂離婚協議書。這年文繡二十三歲（虛歲）。是為愛新覺羅宗室后妃同皇帝離婚的先例，當然這時的皇帝和后妃都已經不是名副其實的帝后了。一九五三年九月十八日，文繡在北京西城劈柴胡同一間約十平方米的小平房裏，患病故去，終年四十五歲。

第四十一講　翊坤儲秀

光緒十年（一八八四年），慈禧太后由長春宮移住儲秀宮。這一年，光緒帝十四歲，清朝先例是順治帝十四歲親政，康熙帝也十四歲親政。同治帝十八歲親政，比其先祖順治帝、康熙帝晚了四年。這一年，慈禧由長春宮搬回儲秀宮，這是為表示自己要歸政養老，而做出的一個姿態。

⌂ 西六宮靠東一排，南為永壽宮，中為翊坤宮，北為儲秀宮。翊坤與儲秀兩宮，清朝打通，連成一體。

一 翊坤鄭妃

翊坤宮於明永樂十八年（一四二〇年）建成，初名萬安宮，嘉靖十四年（一五三五年）改名翊坤宮。清沿明舊，沒再改名。翊坤宮的前殿，懸掛乾隆帝御筆匾額「懿恭婉順」，東壁懸掛張照書寫的《聖製昭容評詩贊》，西壁懸掛《昭容評詩圖》，後殿懸掛乾隆帝御筆匾額「懋端壼教」[1]。明代翊坤宮主要是貴妃等居住，據《玉堂薈記》等書記載：萬曆帝鄭貴妃在此宮住過。明朝避諱不像清朝那樣嚴格。如明萬曆帝鄭貴妃居住的翊坤宮，其「翊」字就是萬曆帝「朱翊鈞」的「翊」字，內外所稱，恬不為怪（《萬曆野獲編．門宮不避諱》）。又如明人記載：今禁城北門玄武門（清改名為神武門）也。但「厚」

1 翊坤宮「昭容評詩」典故，出自《舊唐書．后妃上》（卷五十五）和《新唐書．后妃上》（卷七十六）。故事說的是唐中宗昭容上官婉兒聰慧秀麗，文采卓異，在昆明池評論學士詞臣賦詩的文壇佳話。後上官婉兒在宮廷政變中被「斬於闕下」。儲秀宮「西陵教蠶」典故，出自《史記．五帝本紀》（卷一）：「皇帝局軒轅之丘，而娶於西陵之女，是為嫘祖。」故事說的是嫘祖西陵氏教授婦女養蠶織布，被後世尊為先蠶氏，為歷代皇后舉行親蠶禮時所祭之神，其寓意是清宮后妃應重視農桑。

與「載」兩字都犯明帝字諱，「厚」字犯正德帝朱厚照、嘉靖帝朱厚熜的字諱，隆慶帝朱載垕的「垕」字的音諱，「載」字也犯了隆慶帝朱載垕的字諱，但在明朝，上下通稱，並不避諱。

明朝有四大名妃：永樂帝權賢妃、成化帝萬貴妃、萬曆帝鄭貴妃和崇禎帝田貴妃，前已介紹權、萬、田三妃，下面介紹鄭貴妃。

鄭貴妃，大興（今北京市）人。萬曆初年入宮，封貴妃，生皇三子常洵，進皇貴妃。鄭貴妃成為名妃，同萬曆帝立太子相關。

這裏交代萬曆帝的八個兒子：王恭妃生皇長子常洛，鄭貴妃生皇三子福王常洵、皇四子沅王常治（一歲殤），周端妃生皇五子瑞王常浩，李貴妃生皇六子惠王常潤、皇七子桂王

翊坤宮（一九〇〇年）

常瀛，另皇二子邠王常溆（一歲殤）和皇八子永思王常溥（二歲殤），《明史》稱此二皇子其「母氏無考」。

立太子事爭論的焦點是：立皇長子、王氏生的朱常洛為太子，還是立皇三子、鄭貴妃生的朱常洵為太子，二者只能有一，必須做出抉擇。

按照明制，立嫡以長，應立皇長子朱常洛為太子。但是，萬曆帝不喜歡朱常洛生母王恭妃，也不喜歡其長子常洛；他寵愛的是鄭貴妃，尤愛鄭貴妃所生的皇三子常洵。這樣，朝廷上下，宮廷內外，都懷疑鄭貴妃有立自己兒子常洵為太子的圖謀。萬曆帝處事優柔寡斷，患得患失，拖而不決。群臣奏爭立儲，章奏成百上千。但萬曆帝概置不理，拖而不定，一拖再拖，竟拖了二十八年。官員們有的猜測立朱常洛，有的猜測立朱常洵，

翊坤宮內景（一九〇〇年）

兩派門戶大起，朝廷黨爭激烈。萬曆二十九年（一六〇一年）十月，立長子常洛為皇太子，而疑者仍未死心。這就產生所謂立儲的「國本」之爭。明朝的「梃擊案」、「紅丸案」、「移宮案」都同萬曆帝立儲有直接或間接的關係。

圍繞鄭貴妃和立太子之事，傳言不斷，妖書四起。比如，有一封匿名書，假託「鄭福成」，有人附會「鄭」指鄭貴妃，「福」指福王朱常洵，「成」指鄭貴妃與福王立儲冊後成功。還有解釋說：「鄭福成」者，謂鄭之福王當成也。大略說：「帝於東宮不得已而立，他日必易。其特用朱賡內閣者，實寓更易之義。」萬曆帝大怒，敕錦衣衛搜捕，後捉一人，處以極刑。大學士葉向高勸萬曆帝以靜處之，速命福王之藩，以息群言。後發生「梃擊案」。事情牽連鄭貴妃。鄭貴妃聞之，便對萬曆帝哭泣。萬曆帝說：「須自求太子。」鄭貴妃向太子號訴。貴妃拜，太子亦拜。萬曆帝又在慈寧宮太后幾筵前召見群臣，令太子降諭禁株連，於是「梃擊案」乃定。萬曆帝崩逝，遺命封鄭貴妃為皇后，禮部阻止。「移宮案」起，又傳言鄭貴妃要與李選侍同居乾清宮，陰謀垂簾聽政。崇禎三年（一六三〇年）七月，鄭貴妃薨（《明史·后妃傳》卷一百十四）。鄭貴妃身經萬曆、泰昌、天啟、崇禎四朝，長達五十餘年。

明人記載一個故事：郊遊時見敕建寺宇，壯麗特甚，登殿禮佛，見供幾上並列三位，中曰「當今皇帝萬歲景命」，左曰「坤寧宮萬歲景命」，右曰「翊坤宮萬歲景命」。翊坤宮就是鄭貴妃所住之宮。（《萬曆野獲編·郊寺保釐》）這件事情說明鄭貴妃當時在宮中的地位與影響。

萬曆帝、鄭貴妃與眾朝臣之間，圍繞着皇儲問題，喧鬧了二十多年，說明當時朝廷大臣有一定的話語權，也有政治的影響力，能在一定程度上牽制皇帝決策，自然也付出代價。萬曆帝是個優柔寡斷的人，猶猶豫豫，患得患失，拖而不決，決而不斷，致使萬曆帝與鄭貴妃、朝廷與百姓都受到巨大損失。

二 兩宮一體

北京老百姓有句話：「逛故宮沒有不逛西路的，逛西路沒有不逛儲秀宮的。」為甚麼呢？因為慈禧皇太后住過儲秀宮[1]。

儲秀宮於明永樂十八年（一四二〇年）建成，初名壽昌宮，嘉靖十四年（一五三五年）改名儲秀宮。清沿明舊，沒再改名。清順治十三年（一六五六年）閏五月，翊坤宮和儲秀宮重修告成，朝廷派官祭祀后土、司工、司門之神。（《清世祖實錄》卷一百一）

儲秀宮的前殿，懸掛乾隆帝御筆匾額「茂修內治」，東壁懸掛張照書寫的《聖製西陵教蠶贊》，西壁懸掛《西陵教蠶圖》。兩宮均設寶座，宮前列銅龍、銅鹿各一對，廊嵌藍琉璃斜「卍」字。

為甚麼儲秀宮是慈禧的福宮呢？因為，其一，慈禧在咸豐二年（一八五二年）以秀女被選入宮，號蘭貴人，

1 同治帝珣皇貴妃，阿魯特氏，大學士塞尚阿的女兒，是同治帝皇后阿魯特氏的姑姑，也居住在儲秀宮。民國十年（一九二一年），薨於此宮。（《賜硯齋日記》）

住在儲秀宮（《內務府奏銷檔》）。其二，慈禧在甚麼地方受寵幸的？一說是在圓明園。一天，蘭貴人在園裏唱歌，被咸豐帝聽到，召去寵幸，懷孕生下載淳（後來的同治帝）。二說是相傳李文田聽一位老太監講：西后（慈禧）先入宮，夏日單衣，方校書卷，咸豐帝見而幸之，懷了孕，始冊封（《花隨人聖庵摭憶》）。其三，慈禧在咸豐六年（一八五六年）三月二十三日，在儲秀宮後殿麗景軒生下載淳（同治帝）。其四，慈禧入宮後受到「四封」初封蘭貴人，晉為懿嬪，又晉為懿妃，再晉為懿貴妃，都是在儲秀宮。載淳（同治帝）出生後九個月時，慈禧被特恩，回娘家省親一次。先有太監到她娘家，告以某時駕到，屆時太監及侍衛群擁黃轎而至，母親率領家人、親戚排列院中，入內

儲秀宮（一九〇〇年）

堂，慈禧降輿，登堂升座。除母及長輩外，都跪地叩頭。舉行筵宴，母陪坐於下，因為懿妃為皇子之母。

慈禧在儲秀宮裏度過五十、六十、七十大壽。光緒十年（一八八四年），慈禧五十大壽，中法戰爭失利，法軍攻陷台灣基隆，襲擊福建馬尾炮台，黃河在山東曆城決口，恭親王奕訢被罷斥，全部軍機大臣免職，史稱「甲申易樞」。慈禧六十大壽，自紫禁城到頤和園，沿途佈置彩棚、彩燈，備賞的餑餑八百五十桌，用彩綢十萬匹，紅氈條六十萬尺，用銀七百六十餘萬兩。有人不滿，貼聯京城：「萬壽無疆，普天同慶；三軍敗績，割地求和。」七十大壽，日俄戰爭，割地賠款。歷史有巧合，慈禧逢甲，流年不利：

甲戌（同治十三年，一八七四

儲秀宮內景（一九〇〇年）

年），慈禧四十大壽，獨子同治帝死；甲申（光緒十年，一八八四年），慈禧五十大壽，中法戰爭；甲午（光緒二十年，一八九四年），慈禧六十大壽，中日戰爭；甲辰（光緒三十年，一九〇四年），慈禧七十大壽，日俄戰爭。

為慈禧太后五十壽辰，也為慈禧太后將要從長春宮移住儲秀宮，便對翊坤宮和儲秀宮進行大修大改。這項工程浩大，改變原有格局：

一是拆除儲秀門和儲秀宮前院牆，將翊坤宮的後殿體和殿，改成穿堂殿，使兩宮連成一體；

二是將體和殿五間，改中一間做穿堂，東二間連通做膳廳，西二間連通做茶廳，東西耳房各改一間做通道；

三是改儲秀宮及其東配殿和西配殿也前出廊；

四是後院東南和西南有兩眼井，並蓋有井亭；

五是將翊坤宮和儲秀宮兩座原本獨立的二進宮院，連成通過穿堂和遊廊貫通的一座四進宮院。

工程總耗銀六十三萬餘兩。

儲秀宮庭院，分兩個部分，後殿儲秀宮主要是慈禧皇太后寢居和辦公的宮殿，前殿體和殿主要是慈禧皇太后用膳和休息的殿堂。

慈禧吃在體和殿。體和殿五間，當中一間是穿堂門，東兩間連在一起，是慈禧皇太后用膳的地方。用膳分天、地、人三桌。天桌在最東頭一間，地桌在穿堂門內，人桌在東屋第二間（慈禧專用）。西兩間當中有槅扇隔開，是慈禧飯前、飯後，休息、喝茶、吸煙的地方。飯後常在西二間休息。最西頭一間為衛生間，飯後小解在這裏。慈禧皇太后午、晚兩餐多在體和殿，早膳則在儲秀宮。

體和殿和儲秀宮一樣，用南果熏香，而不用香料熏香。在儲秀宮和體和殿裏，在條案、茶几、桌子等底下，有多個空缸，就是用來裝南果子熏殿用的。乘慈禧皇太后在體和殿吃午飯的間隙，宮女先在儲秀宮換果子；等太后午睡的時間再在體和殿換果子。整個儲秀宮有一股特殊的水果芳香味。慈禧皇太后的寢宮是在儲秀宮。

三 儲秀慈禧

光緒十年（一八八四年），慈禧太后由長春宮移住儲秀宮。這一年，光緒帝十四歲。清朝先例是順治帝十四歲親政，康熙帝也十四歲親政。同治帝十八歲親政，比其先祖順治、康熙晚了四年。慈禧由長春宮搬回儲秀宮，這是為表示自己要歸政養老，而做出的一個姿態。這時儲秀宮皇太后下，配備隨侍是宮女十二名（實際更多），如意嬤嬤四名，嬤嬤十二名；太監一百二十八名。（《國朝宮史》卷二十一）儲秀宮五間，三明兩暗。三個明間，中設正座，是為接受朝拜用的。最東頭一間為東暗間（靜室），是慈禧禮佛、靜思的地方。她信佛，也信薩滿教。北面是白衣大士像，遇到不順心的大事，或批閱奏摺心煩時，在佛像前，燃上藏香，兩眼一閉，雙手合十，靜默沉思，有時默坐半天。東一間臨南窗有炕，靜穆，豁亮。喝茶，吸煙，早餐，談話，接見皇帝和皇后等多在這裏。西一間跟臥室連接，是臥室的外間。屋裏几上的匣子裏，盛着慈禧皇太后心愛的首飾。最西頭的一間為西暗間，是慈禧皇太后的臥室兼梳妝室。

這屋裏床頭有一塊大玻璃，慈禧睡覺頭朝西，在炕上一歪身，把帳子一掀，能看到外面院子裏的一切。炕上被褥按季節，按制度更換，如冬天鋪三層墊子，夏天鋪一層墊子，冬至掛灰鼠帳子，夏至掛紗帳子等。臨窗東南角有一架慈禧最心愛的梳粧檯。她親自研製的化妝品放在這裏。

慈禧皇太后每天早晨是怎樣生活的呢？參照一位在慈禧身邊八年的宮女榮兒的口述歷史《宮女談往錄》（金易、沈義羚著）所述，列舉八點，以窺全貌。

起床。寅時（三—五點），慈禧皇太后臥室燈一亮，兩個值夜宮女，在臥室門口伺候着，兩個在宮門口外的宮女準備。寅正，宮門下鎖，宮女打來一桶熱水到門外。太監張福熬銀耳已好，作為慈禧下床後第一次敬獻。她認為吃銀耳可以容顏不老，永葆青春。等侍候的宮女跪在地上磕頭，喊「老祖宗吉祥」，慈禧便坐起來下地。門口值夜的兩個宮女，才放其他宮女進寢宮。宮女們齊整地向寢室裏請完跪安以後，開始一天的活計。司衾的宮女們有的整理床上、床下的什物，疊被，有的用銀盆端來一盆熱水，慈禧用熱手巾將手包起來，在熱水盆裏浸泡相當長的時間，要換兩三盆水，直到把手背和手指的關節都泡舒坦了。這樣的浸泡是天天必做的。然後才洗臉，實際上是退臉（就是熱敷），這樣可減少臉上的皺紋。然後是傳太監梳頭。

梳頭。慈禧脾氣剛強，不讓別人看到自己蓬頭垢面。宮女給前來為慈禧梳頭的劉太監掀起宮門簾子，劉太監頭頂黃雲龍套包袱（裏面是梳頭工具）走進來，雙腿向慈禧請了跪安，把包袱從頭頂上請下來，向上一舉，由宮女接過來，然後清脆地喊一聲：「老佛爺吉祥，奴才給您請萬安啦！」在臥室的宮女喊：「進來吧，劉德盛！」這是替老太后傳話，太監能經常進太后寢室的，劉太監算是獨一份。劉太監進屋磕完頭，打開黃雲龍套包袱，拿出梳頭的篦子、梳子、篦子等工具，開始為慈禧梳頭。這時老太后開腔了：「你在外頭聽到甚麼新鮮事沒有？說給我聽聽！」劉太監一面給慈禧梳頭，一面慢條斯理地說着。宮女在一旁給遞東西，常在這個時候，張福老太監把一碗冰糖銀耳送到儲秀宮門外，交給當差宮女。慈禧面前擺茶几，用銀勺舀着銀耳喝。宮女都感謝梳頭劉太監，因為他一大早就伺候得慈禧高高興興，她們的差事就好當了。

梳妝。慈禧是個愛美的女人，她常說：「一個女人沒心腸打扮自己，那還活個甚麼勁兒呢？」慈禧早、中、晚要在梳妝屋裏消磨兩三個小時。梳完頭後，慈禧重新描眉，刷鬢角，敷粉，擦紅，兩頰、手心抹點胭脂（胭脂和粉是慈禧親自研製的）。當慈禧前後左右地照鏡子時，宮女總要左誇右讚，哄着老太后高興。

敬煙。慈禧不吸關東煙，吸水煙。金黃煙絲，一兩一包，綠色包裝。慈禧習慣是左邊含煙嘴，侍煙宮女必須站在左方，離太后大約兩塊方磚距離，把煙裝好後，用右手托着煙袋，輕輕把煙嘴送到太后嘴邊。再用左手把煙眉子一晃動，用手攏着明火的煙眉子點煙。

早餐。吸煙後，喝奶茶（保留滿洲習俗）。奶是人奶和牛奶。奶茶不由御茶房供應，由儲秀宮小茶爐供應，上茶方便，乾淨可靠。同時壽膳房要敬早膳。早膳有粥：稻米粥、紅稻米粥、香糯米粥、薏仁米粥、八珍粥、黃米粥、雞絲粥和八寶蓮子粥等；有茶湯：杏仁茶、鮮豆漿、牛骨髓茶湯等；有點心：食盒裏有二十幾樣，麻醬燒餅、油酥燒餅、白馬蹄、蘿蔔絲餅、清油餅、焦圈、糖包、糖餅，還有清真的炸饊子，豆製品的素什錦，也有鹵製品如鹵鴨肝、鹵雞脯等。進早膳時，太監總管李連英守在寢宮門口，崔玉貴站在寢宮門外，張福站在老太后桌旁。崔玉貴先接過太監的包袱，傳遞給李連英，再由張福解開包袱，李連英捧到慈禧皇太后面前。宮裏有個特別嚴的規矩，不當着太后的麵食盒是絕對不許打開的。太后坐在明間炕上，坐東面西，擺上炕桌，從下面抬過一張花梨木茶几，慈禧用早膳。

穿戴。吃過早點，漱完口，喝半杯茶，吸一管煙後，宮女們把慈禧請到更衣室。管服飾的宮女，這時已準備好時下服裝鞋襪。換上蓮花底滿是珍珠的鳳履，戴上兩把頭的鳳冠，兩旁綴上珍珠穿的絡子，插上時令宮花，披上彩鳳的鳳帔。慈禧站起來必定要把兩隻腳比齊，看看鞋襪（綾子做的襪子，中間有條線要對好鞋口）正不正，然後才輕盈盈地走出來。這時宮女把寢室的窗簾一打，在廊子外頭，眼睛早就緊盯着窗簾的李連英、崔玉貴、張福等，像得到一聲號令一樣，在廊子的滴水底下，一齊跪在台階上，高聲喊着：「老佛爺吉祥！」慈禧皇太后春風滿面，容光煥發，笑盈盈地接見他們。這時李連英指揮：轎子抬到儲秀宮門口。

上朝。慈禧上了轎，左邊是宮廷總管太監李連英，右邊是內廷回事太監崔玉貴，兩個緊扶着轎杆，後隨着一群護衛，前呼後擁地到養心殿上朝去了。一年四季，不管颳風下雨，到時一定起床，準時到養心殿，天天如此，月月如此，年年如此，幾十年如一日。

精神。慈禧講精氣神兒，一天到晚那麼多的大事，全得由老太后心裏過，每天還是悠遊自在，騰出閒工夫，講究吃，講究穿，講究修飾，還講究玩樂，總是精神飽滿，不帶一點疲倦勁兒。

這就是慈禧皇太后在儲秀宮裏度過的一個早晨。

慈禧皇太后曾經掌控晚清近半個世紀，她先後在儲秀宮生活了三十二年，至今儲秀宮還留有慈禧皇太后的印記。關於對她的評價，我在《正説清朝十二帝》裏説過：慈禧作為一個女人來説，無疑是傑出的，是優秀的，她性格沉靜，精力充沛，她很聰明，更懂權術。我們用政治家的尺規來衡量慈禧，發現她缺乏政治家的遠見卓識、寬闊胸懷、治國謀略和守正維新。慈禧文化不高，朱批懿旨，錯字連篇，書法也差。長年囿於紫禁城或頤和園，不懂農，不懂工，不懂學，不懂商，也不懂軍，更不瞭解國外實情，僅靠玩弄權術，掌控泱泱中華，面對新興世界，怎能不敗？六歲的同治、四歲的光緒、三歲的宣統，面對西方列強，怎能不輸？這是家天下、君主制的必然結果。清朝的家天下、君主制，皇帝只能在愛新覺羅氏宗室中選擇，而不能在全民中選出最優秀、最傑出的元首。在殘酷激烈的國際競爭中，優勝劣汰，落後挨打，敗下陣來，清祚覆亡。

第四十二講　慈禧西逃

慈禧皇太后面臨改革與守舊的難題：不改革有人不滿，改革也有人不滿，兩相比較，各有利弊。改革雖得罪一些人，卻順應歷史發展趨勢；不改革雖迎合一些人，卻悖逆社會發展趨勢——拒絕改革的人，終被歷史唾棄。因此，兩者相互比較，還是改革為好。智者動善時，時機很重要。慈禧太后錯過改革時機，身負頑固保守罵名。早也改革，晚也改革，主動為上，順時為好！

△ 皇宮晚期，慈禧晚年，發生了一件大事，就是慈禧皇太后西逃。

一 倉皇出逃

慈禧皇太后在皇宮的住處，除長春宮、儲秀宮、養心殿外，還有寧壽宮。寧壽宮是乾隆帝為禪位做太上皇而修建的宮殿，但他實際上主要居住在養心殿，這裏主要作為禮儀和休憩的場所。慈禧皇太后出逃和回鑾，都在寧壽宮的樂壽堂。所謂「慈禧西狩」，就是慈禧「西逃」[1]。

光緒二十六年（庚子，一九〇〇年）三月，受慈禧皇太后暗中支持的義和拳（團）進入北京[2]。四月，義和團民殺死日本駐華使館書記杉山彬和德國駐華公使克林德，並焚毀正陽門城樓，圍攻東交民巷使館。五月，慈禧皇太后在西苑（中南海）儀鑾殿，連續舉行四次御前會議（徐徹《慈禧太后》），袁昶等陳詞：「奸民不可縱，使臣不宜殺！」慈禧皇太后堅持己意。七月二十日，

1 「狩」是指冬天打獵，《左傳》隱公五年：「故春蒐、夏苗、秋獮、冬狩。」古代天子冬天狩獵稱作「冬狩」，帝王巡視也稱「巡狩」。慈禧西逃並不光彩，自稱到西部「巡狩」，所以稱「西狩」。參閱《清德宗實錄》《光緒朝東華錄》《宮女談往錄》《庚子西狩叢談》和《西巡大事記》等。

2 義和團，起初自稱義和拳，山東巡撫毓賢為更名曰「團」（《清史稿·毓賢傳》卷四百六十五）

德、奧、英、法、美、意、日、俄八國聯軍攻入北京城。當夜，傳聞「夷人要攻東華門」，慈禧皇太后如坐針氈，徹夜未眠。

二十一日，要傳早膳時，突然聽到有流彈落在寧壽宮樂壽堂西偏殿瓦上。慈禧皇太后驚慌，急諭李連英，快找衣服換裝。一會兒，李連英提一個裝着漢民褲褂鞋襪的紅包袱進來。慈禧皇太后急忙換上深藍色夏布大襟舊褂子、淺藍色舊褲子、白細布襪子、黑布鞋，並吩咐：「把我手上的指甲剪掉！」手指甲有兩寸來長，這等於剪掉慈禧的心頭肉。光緒帝則穿深藍色夏布長衫、黑褲子，戴小草帽，活像個跑買賣的小夥計。慈禧吩咐貼身太監

八國聯軍紫禁城閱兵（一九〇〇年）

張福：「等着我回來！」

行前，慈禧命從景祺閣召來珍妃（隋麗娟《説慈禧》）。珍妃進言説：「皇帝應該留京。」慈禧説：「洋人進京，怎麼辦呢？我們娘兒倆跳井吧！」珍妃哭求説：「請太后恩典！」慈禧冷笑，太監崔玉貴將珍妃推入井（珍妃井）中。

慈禧皇太后領着一行人，繞過頤和軒，側過景祺閣，經過珍妃井，直奔貞順門，在神武門前，黑壓壓一片人跪着送別，滿臉驚恐，哭聲一片。

辰初（七時），慈禧皇太后乘坐一輛轎車，光緒皇帝乘坐另一輛轎車，皇后、大阿哥、格格等乘坐民車隨從，出神武門，經德勝門，奔頤和園。瑾妃未及告知，聞警後奔神武門，乘一輛民車，追到頤和園，與慈禧相會。

在頤和園樂壽堂，慈禧皇太后説：不能這樣走，必須保證萬無一失，頤和園還有兵，讓他們斷後。離開頤和園後，慈禧一行，為隱蔽西行，車在青紗帳裏鑽着走，到了海澱的溫泉，央求一戶人家，到他家借廁所。老北京習俗，女人借廁所須先喝涼水，壓邪氣，出門還要送紅包。宮女用瓢舀水，慈禧喝了一口涼水，給了二兩銀子。

午間，肚子餓了，米麵找不到，花銀子買下一片地裏的莊稼，就摘豇豆，剝青玉米。豇豆和玉米有了，怎樣煮熟呢？忙着借鍋，挑水，找柴。煮熟後，每人分一個玉米、半碗豇豆。光緒分一個熟玉米，慈禧吃玉米粒。吃飯沒有筷子，慈禧皇太后就用秫秸稈當筷子。慈禧和光緒同「逃難」的人一樣，也一口一口地吃下去。煮老玉米湯也成了寶貝，你一碗我一碗分搶着喝，光緒帝也喝了一碗。慈禧和光緒等逃出皇宮後的第一次午膳，就是這樣狼狽野餐的。臨走時，車上裝載玉米秸，路上渴急了，就嚼玉米秸，慈禧也一起嚼。

傍晚到西貫市，住在舊清真寺裏。屋裏三間正房還好，是一明兩暗。中間堂屋裏有一口破缸，能盛水。有一個灶，連着東間的炕。地下牆角有個三條腿的破矮凳子。把轎車的墊子抬下來，讓慈禧能有個坐處。光緒坐在矮凳子上。慈禧漱口沒有碗，洗手沒有盆，就用騾子飲水的盆，刷一下洗臉、洗手。

天黑，蚊子成團地滾在一起，亂吵亂叫，讓人心煩。更讓慈禧噁心的是上廁所，沒法子下腳，要多髒有多髒，癩蛤蟆滿地亂爬，長尾巴的蛆，使慈禧皇太后看了要嘔吐。慈禧上趟廁所，蒼蠅順着臉爬。慈禧皇太后的生活：昨天是在天堂，今天是在地獄！

二十二日　早晨出發，奔向長城。到居庸關南的隘口南口後，慈禧低聲說要解溲，並說：「就在莊稼地裏，人圍起來！」就這樣，太后、皇后、瑾妃、格格們輪流着，沒有便紙，只好用野麻的葉子代替。一路上慈禧皇太后默默地看着隨從，萬般心腹事，俱在不言中。

午飯是一碗細粉絲黃瓜湯，慈禧餓了，吃得很香。到居庸關，迎面高山窄路，只有一個城門，兩邊營壘排列，讓人心驚肉跳。馱轎又繼續往前走，突然有人對着隊伍打槍。這時護衛隊到來了，人多勢眾，土匪跑了。

晚上到了延慶州的岔道城。延慶州是義和拳（團）紮堆的地方，四門緊閉，不見人影。城裏見來人沒有憑證，不讓進城。好在太監崔玉貴提到北京紅籮廠收炭的太監某某，過去在延慶收木炭，他們才相信，讓進岔道城。城裏亂糟糟的。住房光有一鋪炕，一張舊席，沒有陳設，也沒有女廁。在這裏住了一夜。總算還好，能給點吃的，不致挨餓了。慈禧住上房東屋，光緒住西屋，皇后、瑾妃、格格們住東耳房。西院伙房裏有熱水，慈禧可以洗臉，擦身，洗腳。屋裏靠南窗子底下有鋪炕，炕上有條舊炕氈，一個歪歪斜斜的小炕桌，一個枕頭，油膩膩的，不堪倒床入睡。慈禧看得出來是十分勞累了。她不發脾氣，不說話，閉目沉思。這一夜，慈禧和光緒是怎樣熬過來的呢？慈禧後來向懷來知縣吳永哭訴：「昨夜我與皇帝僅得一板凳，相與貼背共坐，仰望達旦。曉間寒氣凜冽，森森入毛髮，殊不可耐。爾試看，我已完全成一鄉姥姥。」（吳永《庚子西狩叢談》卷之三）

一會兒李連英來了。慈禧讓把光緒請過來，共同聽城裏和宮裏洋人的消息。李連英說：「洋人還沒進宮。」

崔玉貴找來一乘轎子，這是延慶州知州用來拜客乘坐的藍呢子轎，俗稱「四人抬」，是四人抬的轎子，又沉又笨。前邊四個人抬轎，後邊要八個人跟着預備輪換。慈禧又坐上轎子了。

二十三日，早晨吃的是黑饅頭，冬瓜湯。飯後起程，出城東門。冷冷落落，沒有儀鑾，慈禧坐的藍呢子小轎在第一，光緒的馱轎在第二，皇后的馱轎在第三，其他緊隨在後面。一路上，潰兵難民，如蟻如潮，日夜北行，絡繹不絕。到懷來界，天降大雨，風卷着雨，打掀車簾，等於往身上潑水。路旁有一眼井，井邊有個大草帽，車夫掀開一看，是具死屍。沿途井不少，但不敢喝井裏的水，因井裏往往有死人。

中午到榆林堡。一位官員戴着朝珠穿補服跪着來接駕，跪唱：「懷來縣知縣臣吳永跪接皇太后聖駕。」慈禧皇太后出宮門以來，沒人理，沒人瞧，現在終於又有人跪在面前。

慈禧見了吳永，二人談話，說着說着，慈禧放聲大哭，吳永也哭。慈禧邊哭邊說：「連日奔走，又不得飲食，既冷且餓。途中口渴，命太監取水，有井矣而無汲器；後井內浮有人頭，不得已，采秫秸稈與皇帝共嚼，略得漿汁，即以解渴……今至此已兩日不得食，腹餒殊甚，此間曾否備有食物？」吳永說：「本已備肴席，但為潰兵所掠。尚煮有小米綠豆粥三鍋，預備隨從尖點，亦為彼等掠食其二，今只餘一鍋，恐粗糲不敢上進。」慈禧說：「有小米粥，甚好甚好，可速進！」

傍晚，到懷來縣城，慈禧等被引到一家大客棧住下。原來準備好的三大鍋綠豆小米粥，都被亂兵饑民給搶光了，還剩下一點鍋底。每人一碗，別無食品。

吳永見皇帝上無外褂，腰無束帶，發長至逾寸，蓬首垢面，憔悴已極。慈禧對吳知縣說：「這回出來十分倉促，皇帝、皇后、格格們都是單身出來，沒有替換的衣服，你能不能給找些衣裳替換一下？」知縣吳永在院內泥濘中跪奏道：「微臣母親、妻子已經亡故，尚有幾身遺物，太后不嫌粗糙，臣竭力供奉。」慈禧皇太后又低聲對吳永說：「能找幾個雞蛋來才好！」吳永說：「臣竭力去找。」過了一會兒，知縣吳永用粗盤托着五個雞蛋，並有一撮鹽敬獻給慈禧皇太后，並說各家住戶，人都跑空了，只能挨戶去翻，在一家抽屜裏找出五個雞蛋，煮好後獻給皇太后。慈禧一口氣吃了三個雞蛋，把剩下的兩個雞蛋給光緒帝。

有個小太監捧着吳永送來的四個包袱，將先人和夫人的遺物及自身衣飾奉獻。最令逃難人滿意的，是有一包全新的白細布襪子，大約十多雙。兩天多來，兩次遇雨，別處都能忍受，只有腳在濕襪子裏漚著，真叫人難受。無怪慈禧讚歎地說：「這個人有分寸，很細心。」此外，小太監又抱來兩個梳妝盒子，梳篦脂粉，一應俱全。慈禧說：三天沒照鏡子，不知成甚麼樣子了。

慈禧等一行在懷來縣城，住了三天。這裏作為臨時駐蹕的行在，收拾得乾乾淨淨。有一間臥室，陳設不多，可很雅潔，晚飯很豐盛，有肉、雞、肝等，自從離宮後，第一次開葷，所以也吃得特別香。一時王公大臣，太監宮女，滿坑滿穀，幾乎擠破了這小小的縣城。隨扈軍士、宮監數千百人，日需供給，數目不小。

慈禧皇太后從此又恢復了旗裝。皇后、瑾妃、格格也各人揀了件男人長衫穿了，還原成本來面目。軍機大臣王文韶來了，軍機處的一切信印，他全帶出來了。這就等於慈禧皇太后在路途上能發號施令、調動一切了。第二天，在縣城駐蹕一天。早晨開始叫起，這是離宮後第一次有威儀的行動。這次叫起，滿漢的軍機大臣，幾乎一個不缺。這是預備議和的開始。傍晚間，忽然傳旨：「吳永着辦理前路糧台。」於是吳永隨扈西行，後來跟着回鑾北京，升三級，賞二品頂戴。

慈禧皇太后一路顛簸，八月十七日，抵達太原，以巡撫衙門為行宮。九月初四日到達西安，也以巡撫衙門為行宮。翌年八月二十四日返程。在返程途中，廢掉了大阿哥。

二　廢大阿哥

慈禧皇太后在回鑾途中，發生了一件重大事情，就是廢除溥儁的「大阿哥」名號。這要從立儲溥儁說起。

戊戌變法失敗後，慈禧皇太后第三次垂簾聽政，並想廢掉光緒帝。廢掉光緒帝，由誰來接替呢？慈禧皇太后想立端郡王載漪之子溥儁為穆宗（同治帝）嗣。光緒二十五年（一八九九年）十二月二十四日，朱諭：「仰遵慈訓，封載漪之子溥儁為皇子，以綿統緒。」（《清德宗實錄》卷四百五十七）就是說，慈禧皇太后懿旨，溥儁過繼給同治帝為嗣，號「大阿哥」，意味着將來繼承皇位。來年正月初一，大阿哥溥儁恭代光緒帝往大高玄殿、奉先殿、壽皇殿行禮。

慈禧皇太后為甚麼選擇溥儁做「大阿哥」呢？

第一，從父系來說，溥儁是愛新覺羅氏宗室。嘉慶帝第四子瑞親王綿忻死後，子奕約襲封瑞郡王，不久改名為奕誌。奕誌死後無子，以嘉慶帝第三子惇親王綿愷之子載漪過繼給奕誌為後，襲貝勒。光緒二十年（一八九四年），載漪晉封為瑞郡王，但在傳述諭旨時將「瑞」字誤作「端」字，於是將錯就錯，就稱「端郡王」。載漪的兒子就是溥儁。

第二，從母系來說，溥儁有葉赫那拉氏血統。《清史稿．綿忻傳》記載：「載漪福晉，承恩公桂祥女，太后侄也。」[1]溥儁既是慈禧太后娘家侄女的兒子，又是慈禧婆家堂侄的兒子，雙重血緣，親上加親。

第三，從政治來說，載漪兄弟在戊戌政變中，「告密於太后」，慈禧皇太后對他們兄弟「尤德之」，並使其掌管「神機營」。在義和團攻使館事件中，溥儁的伯父載濂、父親載漪、叔父載瀾都支持義和團，對慈禧而言是政治可靠的。

1 大阿哥浦儁的母親，有學者認為可能是桂祥的乾女兒、表表侄女，慈禧的幹侄女、表侄女。有學者據《愛新覺羅宗譜》認為：浦儁是載漪繼福晉和碩阿拉善親王貢桑珠爾穆特之女博爾濟濟氏所生。

第四，從年齡來說，在溥字輩中，有的年齡太大，如溥偉十九歲，一旦立儲，就當親政，其他溥字輩的都在十八歲以上。溥儁年十四歲，慈禧還可以有一段垂簾聽政的時間。

十四歲的溥儁因為處在愛新覺羅氏與葉赫那拉氏兩支血緣的交叉點上，父系又同屬「后黨」，所以就被慈禧懿定為「大阿哥」。有一種說法，慈禧預定在庚子年即光緒二十六年（一九〇〇年），舉行光緒帝禪位典禮，由「大阿哥」溥儁繼承皇位，改年號為「保慶」。京師上下，議論紛紛。不久，義和團事起，載漪篤信義和團，認為義和團是「義民」，不是「亂民」。五月，載漪任總理

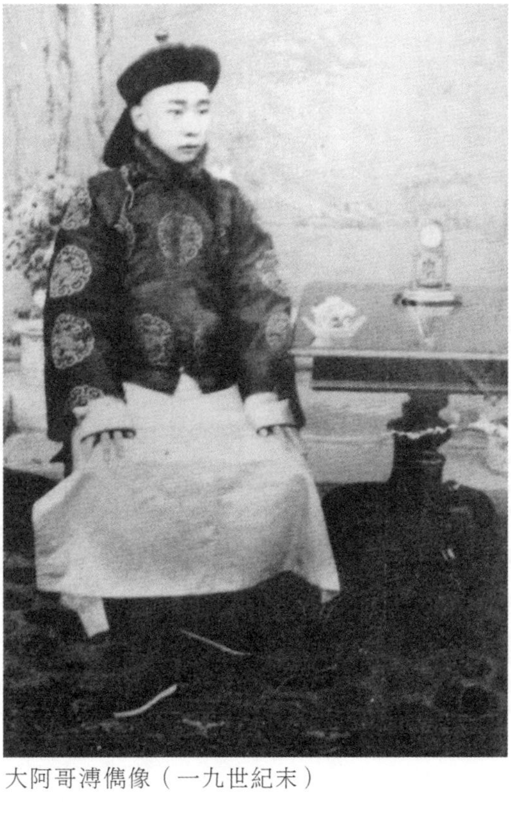

大阿哥溥儁像（一九世紀末）

各國事務大臣。七月，慈禧皇太后同光緒皇帝等一行西逃，載漪、溥儁父子隨駕從行。八月，慈禧皇太后逃到大同，命載漪為軍機大臣。十二月，以載漪為這次事變的禍首，命奪爵職，後戍新疆。

光緒二十七年（一九〇一年）十月二十日，慈禧在西逃的苦難中體悟到：光緒帝要用，大阿哥要廢。以載漪為縱容義和團，肇釁列強，得罪祖宗的禍首，慈禧皇太后懿旨：「溥儁着撤去大阿哥名號，並即出宮。」（《清德宗實錄》卷四百八十八）溥儁歸宗，仍為載漪的兒子。

「大阿哥」溥儁，是個甚麼樣的「接班人」呢？慈禧身邊一位叫榮兒的宮女，同大阿哥溥儁在西狩途中相處一年多，她回憶說：

大阿哥叫溥儁，提起他來，咳！真沒法誇他。說他傻吧，不，他絕頂聰明。學譚鑫培、汪大頭（汪桂芬），一張口，學誰像誰；打武場面，腕子一甩，把單皮（小鼓）打得又爆又脆。對精巧的玩具，能拆能裝，手藝十分精巧。說他機靈吧，不，人情上的事一點不通。在宮裏，一不如意，就會對着天長號，誰哄也不聽。說他壞吧，不，一輩子沒做過壞事，吃喝玩樂，盡情地享受，與人無爭，與人無忤，只知道缺甚麼要甚麼。說他好吧，不，一輩子沒做過好事，談不上一個好字。他一生不知道錢是幹甚麼用的，只知要東西，下人給弄來就行。至於變賣甚麼東西，變賣了多少錢，東西買得值不值，他一概不懂，也一概不問。所以辛丑回鑾以後，取消了「大阿哥」的名義。

溥儁出了宮，人就稱他為大爺了。他將幾輩子積存的珍寶、字畫、房產、莊田等，一股腦兒全變賣了。他由青年到死，一直是這樣子。四十歲以後，由於女色、酗酒、鴉片，縱欲無度，雙目逐漸失明，也就更加消沉。但他從來沒誇耀過自己曾經是大阿哥，也不念叨自己是王爺的兒子。他先住在東四北小街惇親王府，後與蒙古羅王之女結婚，就住在後海的蒙古羅王府。後來惡習不改，吃喝嫖賭，眼也瞎了，家也窮了，靠從前騙過他吃過他的當鋪掌櫃，周濟他一碗熱湯麵，施捨一點煙灰度日。在敵偽時期，他默默地死去了。（參見《宮女談往錄》）

「大阿哥」溥儁完全是一個八旗貴族紈絝子弟。少時環境優越，缺乏良好教育，墮落為花花公子。這樣的人，治家敗家，治國亡國。以溥儁為「大阿哥」，準備繼承皇位，清朝的氣數，已經將盡了！

三 圖新憾晚

慈禧自西安返程，大肆鋪張，士民跪地，夾道恭送，千官萬馬，旌旗招展，忘乎所以。史書說：「然千年以來，當無有今日之熱鬧者。」（吳永《庚子西狩叢談》卷四）慈禧皇太后於光緒二十七年（一九〇一年）十一月二十八日，結束西狩，回到寧壽宮樂壽堂。歷時一年又四個月多，凡五百一十天。

慈禧皇太后自到達西安後，就「好了瘡疤忘了痛」。據說每日選菜譜有百餘種，招人到行宮演戲，還以金球和銀元寶賭博，她弟弟桂祥都能抽上大煙（陳捷先《慈禧寫真》）。回程時沿途大修行宮，車駕三千多輛。在開封，擺壽宴，演大戲，極盡揮霍之能事。其間，京城百姓，蒙受災難。聯軍統帥德國人瓦德西（Alfred Graf von Waldersee）曾說：「佔領北京之後，曾特許軍隊公開搶劫三日，其後更繼以私人的搶劫，北京居民所受之物質損失甚大。」他又說：「因搶劫時所發生之強姦婦女、殘忍行為、隨意殺人、故意放火等事，為數極其不少。」還有頤和園、圓明園、天壇、先農壇，特別是皇宮的寶物，損失流散，無法統計。

義和拳（團）事件，八國聯軍入侵，慈禧皇太后西逃，《辛丑合約》簽訂，對於中華歷史與文化，產生極其重大的影響。

簽訂《辛丑合約》。慈禧皇太后因八國聯軍侵入北京而西逃，又因簽訂《辛丑合約》後戰爭結束而回京。光緒二十七年（辛丑一九〇一年）七月二十五日，與英、德、俄、美、法、奧、日、意等八國，還有西、比、荷三國，簽訂《辛丑合約》。條約十二款，其中有：賠款四億五千萬兩，毀大沽至北京炮台，懲辦禍首，對德、日謝罪等。賠款一項，加上利息，共為九億八千多萬兩，還有其他賠款，總數超過十億，相當於當時清政府十個財政年度總收入。這是中國近代史上對外國賠款最多的一次。這扼殺了中國財政命脈，影響了民眾生活，延緩了工業化進程。

開殺替罪羔羊。慈禧逃難的過程，是自我反省、自我磨煉的過程。闖了這麼大的亂子，萬民那麼大的不滿，總得找替罪羊吧！洋人也要求「懲辦禍首」。「禍首」自然是慈禧皇太后，慈禧皇太后又怎能懲辦自己呢！於是，慈禧皇太后大開殺戒：下令處斬大學士徐桐（已死）、大學士、尚書剛毅（已死），處斬軍機大臣、尚書啟秀，軍機大臣、尚書趙舒翹自盡，左都御史、左翼總兵官英年自盡，軍機大臣、尚書裕祿自盡，莊親王、步軍統領載勳自盡，山東巡撫毓賢正法，軍機大臣載漪、御前大臣載瀾定為斬監候，加恩發往新疆錮禁。從這些人的社會成分看，他們是滿洲貴族和社會高層的頑固派、保守派、投機派，是一批昏昏庸庸、逢迎拍馬的政治侏儒。忠耿諫言的軍機大臣徐用儀、總理各國事務大臣許景澄、戶部尚書立山、內閣學士聯元和太常寺卿袁昶駢斬於市，史稱「五忠」。後昭雪旌表，其英魂永輝。

總之，慈禧皇太后實際執政四十八年，我看她有三着高棋、四起敗筆。三着高棋，一是辛酉政變，如陳捷先教授所說，「慈禧在初試啼聲的『辛酉政變』中，設計縝密、處理精當、呼應巧妙、行動準狠，在在顯現出她手段的高明」；二是委用曾（國藩）、李（鴻章）、左（宗棠），在危難中穩住清政權；三是所謂的「同治中興」。四起敗筆是，慈禧在戊、己、庚、辛四年，連續犯了四大錯誤

戊戌年（光緒二十四年，即一八九八年），戊戌政變；

己亥年（光緒二十五年，即一八九九年），立大阿哥；

庚子年（光緒二十六年，即一九〇〇年），攻打使館；

辛丑年（光緒二十七年，即一九〇一年），《辛丑合約》。

慈禧的自私、保守、孤傲和貪婪，導致諸如上述等極其嚴重的錯誤。慈禧皇太后回鑾後，進行了一些改革，如派員出洋考察，宣示籌備立憲等。但是，改革良機，已經錯過。清朝政府威信，已經喪失殆盡。

我們看一下時間表：慈禧回鑾四年後同盟會成立，又過三年「兩宮賓天」，再過二年武昌起義，清朝覆亡，民國建立，帝制結束，中華新生。

慈禧皇太后面臨改革與守舊的難題：不改革有人不滿，改革也有人不滿，兩相比較，各有利弊。改革雖得罪了一些人，卻順應歷史發展趨勢；不改革雖迎合一些人，卻悖逆社會發展趨勢——拒絕改革的人，終被歷史唾棄。因此，兩者相互比較，還是改革為好。智者動善時，時機很重要。慈禧皇太后錯過改革時機，身負頑固保守罵名。早也改革，晚也改革，主動為上，順時為好！

第四十三講　太上皇宮

寧壽宮區有三個特色：一是殿堂、寢宮、花園融合一體，二是實用、藝術、華麗融合一體，三是敬祖、敬神、敬天融合一體。從而成為紫禁城的一個縮影。

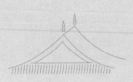

△寧壽宮區位於紫禁城東北部，是一處高牆圍禁的獨立區域。明代這裏是噦鸞宮、喈鳳宮等舊址，曾為成化周太后、崇禎懿安皇后等養老處所。清康熙二十八年（一六八九年）改建寧壽宮，孝惠章太后在此頤養天年。乾隆帝為歸政後養老休憩而增建為太上皇宮，但太上皇並未入住這裏。光緒年間又加修繕，慈禧皇太后晚年居住在這裏。明清帝后認為這塊福地是宮中養老的理想宮殿。

一 寧壽佈局

寧壽宮區平面呈長方形，南北四百〇六米，東西一百一十五米，面積約四萬六千平方米，有房屋千餘間，好似紫禁城全景的縮微版。寧壽宮總體佈局，分為前部和後部。

宮區前部　最南端有一座九龍壁，為乾隆三十七年（一七七二年）改建寧壽宮時建造。中國現存最著名的九龍壁有三處：一處在山西大同，是明朱元璋第十三子代王朱桂王府端禮門前的照壁，寬四十五點五米，高八米，厚二點〇二米，為中國最大的九龍壁。另一處在北京北海公園羅漢堂前，建於清乾隆二十一年（一七五六年），寬二十五點五二米，高五點九六米，厚一點六米，除了壁前壁後各有九條戲珠蟠龍外，壁的正脊、垂脊及瓦當、琉璃磚等建築構件都有龍的圖案。有人統計，北海九龍壁上共有六百三十五條龍，為中國龍最多的九龍壁。再一處是皇極門前的九龍壁，寬二十九點四米，高三點五米，厚二點〇六米，由二百四十七塊預製七色琉璃磚拼砌而成。下部為白石須彌座，上部為黃琉璃瓦頂，中間為九條巨龍浮雕，體態矯健，活靈活現。全幅壁面以海水為襯景，有九條戲珠巨龍在奔騰。從皇極殿南望九龍壁，正中黃色蟠龍馴順蜷伏，姿如朝覲，勢如拱衛，以其氣勢磅礴、雕製精細、色彩華美、形象逼真，而成為中國最美的九龍壁。

這座九龍壁從東數第三條白龍下腹是用木料雕鑿成形後補裝上去的。這裏有一個傳説，當年在燒製這座九龍壁構件時，工匠不小心把這條白龍的龍腹構件燒壞了，但工期緊迫，來不及再燒。有位木匠連夜用木料雕刻成那塊龍腹，刷上白漆，

寧壽門（林京　攝）

安裝上去，從外觀看去，可以亂真，竟然瞞過了官員督檢，工匠也免了一場災難。

壁之北、宮之前有兩重門：皇極門和寧壽門。門內是獨立庭院，主要建築前為皇極殿，後為寧壽宮，即前殿後宮。殿與宮距離僅十一點五米。皇極殿為重簷廡殿頂，故宮不在中軸線上的重簷廡殿頂宮殿，只有奉先殿和皇極殿。皇極殿的殿名和殿頂，顯示出皇極殿為最高皇權的象徵。寧壽宮形制略同於坤寧宮，清用於祭神，今為珍寶館。

宮區後部　分為中、東、西三路，中路為主，兩翼為輔。

中路　養性門內，有四個既分又合的庭院，主要建築依

皇極殿（一九〇〇年）

皇極殿內景（一九〇〇年）

次為養性殿、樂壽堂、頤和軒、景祺閣。這裏主要是生活區。

養性殿，形制與養心殿相同，正面也有抱廈。乾隆帝詩云：「允宜歸大政，餘日享清福。是用構養性，一仿養心屋。」擬為乾隆帝做太上皇時的日常起居之所。殿的西暖閣，頗具特色：有佛堂，設二層仙樓，內置佛像和佛塔；有墨雲室，仿三希堂，因乾隆帝得古墨而命名。古代文房四寶筆墨紙硯中的墨，極難保存，以古為貴。

樂壽堂，在養性殿後面，擬為乾隆帝歸政後的寢宮。堂面闊七間，進深三間，黃琉璃瓦歇山頂，形制尊貴，體量高大。前臨廣庭，左右遊廊，各設屏門，局勢開朗。廊壁鑲嵌「敬勝齋法帖」石刻。堂內槅扇，仙樓裝修，多用花梨和紫檀等珍貴名木，雕刻奇絕，金玉鑲嵌，工藝精美，極盡華麗。

樂壽堂後門內，有一座《大禹治水圖》玉山，用新疆和闐（田）密勒塔山青白玉，於乾隆五十二年（一七八七年）雕刻完成，高二百二十四釐米，寬九十六釐米，重約五千三百三十公斤。據記載，先是開山采玉，後是長途運輸。從和田到北京一萬一千一百里，需製作特大專車，前用一百多匹馬拉車，後用若干夫役扶推，逢山開路，遇水架橋，冬則潑水成冰路，日行五六裏，需三年才能運到。玉石到京後，乾隆帝選用宮中珍藏宋人名畫《大禹治水圖》為藍本，派畫師照圖摹畫在玉山上。先做玉山蠟樣，怕蠟樣融化，又刻做木樣。再經運河，載往揚州，能工巧匠，照樣雕造。自乾隆四十六年（一七八一年）九月開工，到乾隆五十二年（一七八七年）六月完成，歷時六年〇八個月。玉山從采玉到製成，長達十年，僅雕刻就用了十五萬個工。同年玉山運到北京，安設在樂壽堂。玉山雕刻大禹治水的壯觀情景，崇山峻嶺，古木叢立，洞壑溪澗，地勢險惡，大禹在山腰勞作，民眾鑿石開山，使水下流。這幅生動圖景，按玉材天然色彩，做藝術

暢音閣（二十世紀初）

加工而成。背面刻有乾隆帝御製詩，歌頌大禹治水，功德萬古不朽。像這樣大的玉材，用來製造一般器物，似大材小用，但製成玉山，會久存不朽。詩中告誡子孫，如為追求珍玩，今後不要再做。這座由一塊整玉四面雕琢成的《大禹治水圖》玉山，構思巧妙，雕工精絕，充滿動感，鬼斧神工，堪稱中華藝術奇珍，顯示中國各族人民的智慧和藝術。（《故宮經典．故宮珍寶卷》）

頤和軒，在樂壽堂後，軒兩廊嵌有石刻，甬道兩側佈置山石花池點景。頤和軒的西院有一座如亭，亭中對聯是：「境是天然贏繪畫，趣含理要入精微。」亭中曾有小戲台，軒後有穿廊與景祺閣相連。

景祺閣，在軒之北。閣外是珍妃井。閣北出貞順門左轉前行，就是皇宮後門神武門。

本區宮殿，雖是乾隆帝為自己當太上皇而修建，但他當太上皇之後並沒有搬進去住，因養心殿有皇帝情結而不願離開，也因乾隆帝對生命頗有信心而認為來日方長，又因近四十年居住習慣而不願改換環境。後來樂壽堂成了慈禧太后晚期的寢宮。慈禧在樂壽堂慶祝自己六十大壽，據説竟耗白銀一千餘萬兩。

東路　前部為暢音閣大戲樓，坐南面北，建築宏麗。樓南為扮戲樓，二層，就是後台。暢音閣通高二十點七一米（相當於七層樓高），面闊三間，進深三間，總面積六百八十五點九四平方米，三重簷，卷棚歇山頂，上層懸掛「暢音閣」匾，中層懸掛「導和怡泰」匾，下層懸掛「壺天宣豫」匾。內有上中下三層戲台：上層稱「福台」，中層稱「祿台」，下層稱「壽台」。三層台設天井上下貫通，壽台還設地井，根據劇情需要，利用轆轤或絞盤升降演員、道具等。在演出仙女下凡時，用轆轤把幕景和演員從上面送下來，有從天而降的戲劇效果。在演出「地湧金蓮」一時，用絞盤讓演員和蓮花從地井鑽出來，有從地下或水中升騰的戲劇效果。台下還有隱蔽水井，為戲中表演噴水提供水源。暢音閣為宮中最大的一座戲台，與頤和園內德和園大戲樓、承德避暑山莊清音閣大戲樓（已毀）並稱為清代三大皇家戲樓。

閣後的閱是樓，為帝后們看戲的地方，也是帝后飲宴的場所。樓北為尋沿書屋，五間小室，前後帶廊，屋名高雅。慈禧住樂壽堂時，光緒帝請安侍膳前在此小憩。屋北為慶壽堂。這是仿江南民居式庭院，青水磚牆，蘇式彩畫，琉璃瓦頂，四周遊廊，在巍峨的宮殿群中，小巧寧靜，別有洞天。醇親王福晉、恭親王格格，來宮時居住此處。堂後為景福宮，宮前庭院中矗立一塊奇石，名為「文峰」。文峰石立在高約一米，平面八角形漢白玉石須彌座上，四周環以銅欄杆。文峰石高四點五米，秀俊挺拔，突兀崢嶸，紋理清晰，孔穴四佈。石山上有一座小亭，名「翠鬟」；山下有一石窟，名「雲竇」。乾隆帝在《文峰詩》中説：「巨孔小穴難計數，詭棱奇自縈糾。」文峰奇石，玲瓏剔透，石中稱珍，令人讚歎。庭院四面有門，石立院中，四面有景，妙趣橫生。景福宮又名五福宮。這是因為乾隆四十九年（一七八四年），七十四歲的乾隆帝喜得玄孫，為五世同堂。他書寫「五福五代堂」匾，懸掛在景福宮內。景福宮因此又稱五福五代堂。乾隆帝還治了一方「五福五代堂古稀天子之寶」印。這成為皇帝五世同堂的歷史佳話。

景福宮北有乾隆三十七年（一七七二年）建的兩座禮佛樓閣：一座是佛日樓，上下兩層，各為三間，供奉喇嘛教佛像；另一座是梵華樓，與佛日樓東西相鄰，有樓梯連通。琉璃瓦頂，上下兩層，面闊七間，各自分割，內設佛堂，供奉佛像，一排排，一尊尊，數以千計，目不暇接，歡喜佛像，姿態各異。樓內有乾隆三十九年（一七七四年）製造的琺瑯塔六座，精麗華彩，美輪美奐。八國聯軍侵入皇宮時，因兩樓偏僻，未遭破壞，保存完好。

西路　寧壽宮後面西路，為寧壽宮花園，俗稱「乾隆花園」。

二 寧壽花園

皇宮內的花園，主要有坤寧宮後御花園、慈寧宮花園、建福宮花園和寧壽宮花園。寧壽宮花園俗稱「乾隆花園」，在國家一統、政局穩定、財力雄厚、文化繁盛時修建。其園林佈局、藝術特色、文化蘊含，移天縮地，在皇宮現存花園中，不僅是獨樹一幟的，而且是集大成之作。乾隆花園是中華園景中的一朵奇葩。

乾隆花園佈置在南北一百六十米、東西三十七米的縱長地帶，佔地五千九百二十平方米[1]，空間狹窄，格局緊湊，靈活多變，時暢時閉，曲徑通幽，景致各異。花園從南到北，庭院佈局，分作四進。

第一進，衍祺門裏，主體建築為古華軒。這是一座敞軒，軒前有一棵古楸樹，以樹借景，修建敞軒。軒對聯曰：「明月清風無盡藏，長楸古柏是佳朋。」軒前院中佈置山石亭台，華而不麗，別具風采。東面為承露台，西面為禊賞亭，亭中設流杯渠，是乾隆帝與近臣舉行曲水流觴宴樂的地方。流杯渠的水源，是南邊假山石後的一眼水井，把水汲入缸裏，導入渠中，蜿蜒迴流，仍到井中。曲水流觴是引水渠中，浮杯賦詩，杯停飲酒，賦詩唱和，詩酒為樂。亭內石碑上刻着乾隆帝臨摹董其昌的「蘭亭記」。這裏有一個故事：古時每年三月上巳日，人們去水邊洗滌不祥，這叫祓禊。王羲之就是在這一天與友人祓禊，寫下著名的《蘭亭序》：「永和九年，歲在癸丑，暮春之初，會於會稽山陰之蘭亭，修禊事也。」寧壽花園的禊賞亭是為傳習這個雅俗而建的。

東南角為曲尺廊，隔出一個小院，佈局巧妙，步移景隨。西北角在假山上建旭輝亭，經爬山廊與山下禊賞亭連通。曲尺廊與爬山廊，曲直相間，斜平各異，構思新穎，兩相呼應。

第二進，以遂初堂為主體建築，院內湖石點景，環境雅致幽靜。「遂初」之名，嘉慶帝解釋說：「蓋自乾隆初元，上蒼若得仰同聖祖仁皇帝紀元周甲，即當禪位。」後來上天果真遂了乾隆帝的初衷。遂初堂中的匾額是「養素陶情」，乾隆帝已經富有天下，他追求的是一個「素」字。遂初堂的西北是延趣樓。

第三進，以山景為主，庭院中峰巒疊翠，奇石突兀，崖谷峻峭，洞壑邃幽。環山佈置建築，北為萃賞樓，樓西為養和精舍，是兩層精美樓閣。樓下南室聯曰：「四壁圖書鑒今古，一庭花木驗農桑。」聳秀亭建在山上，上下遊廊，迴曲相連。山麓之陽，有三友軒，取松、竹、梅歲寒三友之意。軒內有暖炕，為冬季遊園憩息之所。三友軒內月亮門，用竹編為地，紫檀雕梅，玉雕梅花、竹葉，構圖清新，色彩諧和。

第四進，符望閣，是全園主景建築，間隔縱橫，曲折迂迴，裝飾精美，變幻無窮。觀賞閣內景色，至少需轉二十個方位。置身其中，穿門檻之時，往往迷失路徑，所以俗稱「迷樓」。閣四周以遊廊和短牆分成幾個似通又隔的庭院，一眼一景，一步一趣。閣前疊石堆山的主峰上有碧螺亭，圖案全用梅花，形狀新穎別致。亭下為五瓣須彌座，圓形板內外雕刻着梅枝，亭簷額枋彩繪梅花，亭頂用五條垂脊分為五個坡面，也象徵梅花五瓣。這座五柱五脊梅花形小亭，好像是無數梅花簇擁成的大梅花籃，所以俗稱「梅花亭」。

倦勤齋在花園最北部，以一座精美的兩層樓為全園景觀收束。樓中對聯是：「信可超繪事，於焉悅性靈。」齋內嵌竹掛簷，鑲玉透繡槅扇，一派江南景色，風格清新，精緻絕倫。倦勤齋內小戲台，裝點着竹籬藤蘿。乾隆帝多次在這裏觀賞習藝太監演唱的岔曲。岔曲是當時流行於八旗的小曲，演唱者用八角鼓和三弦伴奏。乾隆帝命詞臣借用其調，另編新詞，詠唱太平雅事，曲目有百餘種。清初至咸豐以前，宮中演戲角色，都由太監充當，不許民間戲班入內，清宮為此建立了太監習藝的南府，後為升平署。在倦勤齋聽曲，是乾隆帝、慈禧太后晚年的一件樂事。

寧壽宮區有三個特色：一是殿堂、寢宮、花園融合一體，二是實用、藝術、華麗融合一體；三是敬祖、敬神、敬天融合一體。從而成為紫禁城的一個縮影。

三 寧壽故事

寧壽宮雖為太上皇而建，但實際上主要是太后或皇后的住所。天啟帝的懿安皇后、順治帝孝惠章皇后，以及慈禧太后等，晚年都曾在這裏居住過。懿安皇后和慈禧太后上文介紹過，這裏重點介紹孝惠章太后。

孝惠章皇后，博爾濟吉特氏，科爾沁貝勒綽爾濟之女，是順治帝第二任皇后，也是孝莊太后同族。順治十一年（一六五四年），順治帝廢第一任皇后，孝莊太后為順治帝指定博爾濟吉特氏為繼任皇后。順治帝在世時，她雖身為皇后，卻因貴妃董鄂氏受寵而被冷落。順治帝幾次想立董鄂氏為后，因孝莊太后干預未能如願。順治帝死，康熙帝立，她被尊為皇太后，後謚孝惠章太后，居慈仁宮（後為寧壽宮）。她一生最愜意的時光，就是入主寧壽宮後的歲月。

孝惠章太后與康熙皇帝，母慈子孝，特別是孝，感動當世，傳頌至今。《孝經》開宗明義說：「夫孝，德之本也。」怎樣以孝事親呢？康熙帝對皇太后之孝：「居則致其敬，養則致其樂，病則致其憂，喪則致其哀。」（《孝經》第十）下面將「敬」、「樂」、「憂」、「哀」分開來說。

一說敬。敬為雙向，母慈子敬。康熙帝幼年喪母，祖母孝莊太皇太后，嫡母孝惠太后，對他的撫育、教誨之恩，使他終生難忘，也終生難報。康熙帝雖只比孝惠太后小十三歲，但對太后至親至孝至尊至敬，堪稱典範。逢年過節，康熙帝總要去請安問候。孝惠太后對康熙帝也極盡慈愛之心。

康熙二十八年（一六八九年），在寧壽宮舊地營建新宮告成，孝惠太后遷居。此後直到康熙五十六年（一七一七年）病故，孝惠太后享受着康熙帝至誠至孝的奉養。

每當出外狩獵，康熙帝都要將中途獲取的獵物和珍果派人送到寧壽宮。康熙三十五年（一六九六年）十月，康熙帝北巡，太后萬壽，奉書恭祝。太后遣官送衣裘，康熙帝奉書：「時方燠（暖），河未冰，帳房不須置火，俟嚴寒，即歡忭（高興）而服之。」康熙三十六年（一六九七年）二月，康熙帝親征噶爾丹，駐他喇布拉克。太后以康熙帝生日，使賜金銀茶壺，康熙帝奉書拜受。噶爾丹既定，諸臣請康熙帝加太后徽號「壽康顯寧」，太后以康熙帝不受尊號，也堅諭不受。康熙帝四出巡幸，常奉太后同行。康熙三十七年（一六九八年）七月，奉太后幸盛京謁陵，道經喀喇沁。以太后父母葬發庫山，距蹕路二百里，諭內大臣索額圖擇地，太后遙設拜祭。十月，值太后萬壽，康熙帝到行宮行禮，敕封太后所駐山曰壽山。康熙三十八年（一六九九年），康熙帝奉太后南巡，遊覽觀賞江南風光。

二說樂。以皇太后五十、六十、七十大壽為例，看康熙帝是怎樣盡孝道的。

康熙二十九年（一六九〇年）十月初三，皇太后五十大壽，住進新修的寧壽宮。時康熙帝

因患重病而暫停乾清門御門聽政，仍率諸王貝勒、文武大臣等，到皇太后宮行禮。遵懿旨，停筵宴。（《清聖祖實錄》卷一百四十九）

康熙三十九年（一七〇〇年）十月，皇太后六十大壽。康熙帝恭進佛像三尊，《御製萬壽無疆賦》圍屏一架，御製萬壽如意太平花一枝，御製龜鶴遐齡花一對，珊瑚進貢一千四百四十分，自鳴鐘一架，壽山石群仙拱壽一堂，千秋洋鏡一架，百花洋鏡一架，東珠、珊瑚、金珀等念珠一九，皮裘一九，雨緞一九，哆羅呢一九，璧機緞一九，沉香一九，白檀一九，絳香一九，雲香一九，通天犀、珍珠、漢玉、瑪瑙、雕漆等古玩九九，宋元明畫冊卷九九，攢香九九，大號手帕九九，小號手帕九九，金九九，銀九九，緞九九，連鞍馬六匹，並令在壽宴時，御膳房數米一萬粒，做「萬國玉粒飯」，及肴饌、果品等物進獻。（《清聖祖實錄》卷二百一）但是康熙帝五十大壽，大臣進「萬壽無疆屏」，被謝卻之。

康熙四十九年（一七一〇年）皇太后七十大壽，康熙帝為太后舉行了隆重慶典。滿族傳統舞蹈「蟒式舞」，是在隆重歡慶盛大宴會時禮儀規格最高的舞蹈，一向是大臣向皇帝表演的。為慶祝皇太后七十大壽，康熙帝諭旨：「蟒式舞者，乃滿洲筵宴大禮，至隆重歡慶之盛典。向來皆諸王大臣行之。今歲皇太后七旬大慶，朕亦五十有七，欲親舞稱觴。」到皇太后七十歲生日這天，在皇太后宮進宴，皇太后升座，樂作，康熙帝到皇太后近前跳起蟒式舞，並舉爵進酒。（《清聖祖實錄》卷二百四十一）祝她萬壽無疆。孝惠章太后，優遊生活，享盡孝養，五十餘年，可謂足矣！

三說憂。康熙二十六年（一六八七年），太皇太后患病，孝惠太后作為兒媳，每天從早到晚侍奉在太皇太后榻前。孝莊太皇太后崩，孝惠太后哀哭悲痛，幾乎僕地。康熙五十六年

（一七一七年）十二月初三，七十七歲的太后病重。這年，康熙帝六十四歲，也患重病，七十餘日，頭暈目眩，腳面浮腫，不能走動。他聞知太后病重，便用布纏足，乘坐軟轎，每日到寧壽宮，扶掖行進，探視太后。太后處於昏迷狀態，康熙帝跪下，捧着太后的手說：「母后，臣在此！」太后極力睜眼，迷糊相視，執康熙帝手，已不能說話。為了照看太后，康熙帝雖然重病，仍在寧壽宮西邊的蒼震門內，搭設帷幄，暫時居住。

四說哀。康熙二十七年（一六八八年）正月十一日，太皇太后梓宮由慈寧宮移到朝陽門外殯宮，康熙帝及諸王大臣請太后不必前去行禮致哀，但太后執意不可。她悲泣前往，慟哭致哀。（《清聖祖實錄》卷一百三十三）這給子孫樹立了孝親的榜樣。康熙五十六年（一七一七年）十二月初六日，皇太后崩，康熙帝號慟盡禮，割辮服孝，奠酒慟哭。康熙帝服喪期間，正值隆冬，天氣嚴寒，康熙帝身着喪服，仍住在蒼震門內的帳篷裏，直到十二月三十日除夕，才回到乾清宮居住。（《清史稿·后妃傳》卷二百十四）初二日，又回到蒼震門內居住，直到初四，滿二十七天，才回乾清宮。一位六十四歲的老人，位居皇帝，身患重病，時值寒冬，露天地上，搭建帳篷，為母守孝，二十七天，悲慟哭奠，自始至終，盡禮盡哀，大孝至極，無以復加！（《清聖祖實錄》卷二百七十六）古今中外，能有幾人？

康熙帝既要孝奉太皇太后，又要孝侍皇太后，長達五十六年。可以說，康熙帝的一生幾乎都是在給太皇太后和皇太后盡孝中度過的。

倫理之中，孝道為大。《孝經》說：「天地之性，人為貴；人之行，莫大於孝。」孝子事親，「居則致其敬，養則致其樂，病則致其憂，喪則致其哀」。孝子必忠國家，孝子必愛百姓。連父母都不愛，能熱愛人民嗎！以仁孝為榮，以不孝為恥：「五刑之屬三千，而罪莫大於不孝！」（《孝經》第十一）傳承中華文明，弘揚仁孝風尚。

第四十四講　明宮太后

一身為皇后、皇太后、太皇太后者，這在明清五百多年的歷史上，僅有兩位，即明仁宗洪熙帝張皇后和明憲宗成化帝王皇后。她們既外在機遇好，也內在修養好。她們自身的共同特點是：積德行善，心淨身靜，胸懷寬廣，品節高潔。因此，她們成為古代女性的典範。

△皇帝的母親（不一定是生母）稱太后，祖母稱太皇太后。這是秦漢以來的傳統：「漢興，因秦之稱號，帝母稱太后，祖母稱太皇太后。」（《漢書·外戚傳》卷九十七上）太后，尤其是太皇太后，在皇宮裏，地位最尊，榮譽最高。皇后要受皇帝和太后兩層制約，皇太后則在皇帝和皇后之上。明宮太后，情形如何？

一 宣德母后

皇太后上尊號、徽號，要經四道禮儀：一是告祭，告祭天、地、宗社；二是冊寶，金冊（證書）、金印；三是謁謝，到奉先殿拜謁和敬謝祖先；四是受賀，接受皇子皇孫、后妃公主、文武百官慶賀，禮儀莊嚴，熱烈隆重。

明朝南京皇宮，稱太后的只有一人，就是建文帝的生身母親呂氏，為懿文太子朱標的繼妃。建文元年（一三九九年）二月，朱允炆登極後，尊生身母親為皇太后，這是明朝第一位皇太后。但是，永樂元年（一四〇三年），燕王朱棣登極後，改稱她為皇嫂懿文太子妃。明朝南北兩京的皇宮，《明史·后妃傳》記載共有十七位元太后。她們雖位於女性地位與尊嚴的最高端，但其命運各不相同。大體有以下幾種不同命運：

第一，做了太后而被撤銷的兩位：

（一）建文帝的母親呂氏。朱棣起兵打到南京金川門，派人迎接呂太后到軍中，「述不得已起兵之故」，就是解釋自己被逼無奈而起兵的原因。而後，送后回宮，尚未到宮，宮中起火。呂太后便跟隨她的兒子朱允熙，居住在夫君懿文太子的陵旁。永樂元年（一四〇三年），命將「呂太后」改稱為「皇嫂懿文太子妃」（《明史》卷一百十五）。可以想像由「皇太后」到「懿文太子妃」落差之大，由皇宮殿堂到夫君陵旁，這是天壤之別，其晚境既悲苦又淒涼。

（二）景泰帝的母親吳氏，是明宣德帝妃，生郕王朱祁鈺。明英宗被俘，君位空虛，他的弟弟郕王朱祁鈺繼位，是為景泰帝。朱祁鈺登極後，尊他的生母吳氏為太后。明英宗朱祁鎮復辟，重登皇位，將吳太后降為妃。

以上呂氏和吳氏由太后降為妃，是明清宮廷史上僅有的兩例。

第二，生前是皇后死後被尊為皇太后的兩位：

（一）明英宗正統帝皇后錢氏，生前是皇后，死後被尊為皇太后。

（二）明神宗萬曆帝皇后王氏，生前是皇后，死後被尊為皇太后。

第三，生前是妃嬪死後被尊為皇太后的四位：

（一）明憲宗成化帝淑女紀氏，生孝宗弘治帝朱祐樘，死後被尊為皇太后。

（二）明世宗嘉靖帝妃杜氏，生穆宗隆慶帝，死後被尊為皇太后。

（三）明光宗泰昌帝妃王氏，生明熹宗天啟帝，死後被尊為皇太后。

（四）明光宗泰昌帝妃劉氏，生明思宗崇禎帝，死後被尊為皇太后。

第四，由妃嬪而被尊為太后的兩位：

（一）明興獻王妃蔣氏，生明世宗嘉靖帝朱厚熜，被尊為皇太后。

（二）明穆宗隆慶帝妃李氏，生明神宗萬曆帝朱翊鈞，被尊為皇太后[1]。

第五，由皇后被尊為太后的三位：

（一）明宣宗宣德帝皇后孫氏，英宗正統帝繼位後尊為皇太后。

（二）明孝宗弘治帝皇后張氏，武宗正德帝尊為皇太后，世宗嘉靖帝也尊為皇太后。

（三）明穆宗隆慶帝皇后陳氏，原為裕王妃，裕王繼位，冊為皇后，無子多病，居住別宮，並未被廢，明神宗萬曆帝尊為皇太后。

第六，由妃而被尊為太后、太皇太后的兩位：

（一）明英宗正統帝妃周氏，憲宗成化帝生母，成化帝繼位尊為皇太后，孝宗弘治帝繼位尊為太皇太后。

（二）明憲宗成化帝妃邵氏，生興獻王朱佑杬，孫朱厚熜繼位，被尊為太皇太后。

第七，生前是皇后、太后、太皇太后「三後合一」的兩位：

（一）明仁宗洪熙帝張皇后，兒子宣宗宣德帝尊為皇太后，孫子英宗正統帝尊為太皇太后。

（二）明憲宗成化帝王皇后，兒子孝宗弘治帝尊為皇太后，孫子武宗正德帝尊為太皇太后。

生前做皇后、皇太后、太皇太后的，在明朝宮廷史上僅有兩位，清朝則沒有。明朝這兩位皇后、皇太后、太皇太后「三后合一」的女性，有甚麼高潔品行呢？明憲宗成化帝的王皇后，前文已經介紹，以下介紹明仁宗的張皇后。

明仁宗誠孝皇后張氏，永城（今河南永城市）人。洪武二十八年（一三九五年）封燕王朱棣世子朱高熾妃。永樂二年（一四〇四年）封皇太子妃。洪熙帝繼位，冊張氏為皇后。明宣宗宣德帝即位，尊為皇太后。明英宗正統帝即位，尊為太皇太后。張皇后的特點是：

一、會處公婆關係。作為王妃，首先要會處同公婆的關係。《明史》說她「后始為太子妃，操婦道至謹，雅得成祖及仁孝皇后歡」。就是說她能嚴謹遵循婦人操守，頗得公婆永樂帝與徐皇后的喜歡。

二、會處叔嫂關係。她的兩個小叔子是漢王朱高煦和趙王朱高燧，都「謀奪嫡」，想取代太子的地位，太子多次被漢王和趙王所離間，她從中保護、勸慰、解釋，幫助丈夫保住了太子的位置，沒有易儲。

三、會處夫妻關係。太子「體肥碩不能騎射」，永樂帝很不高興。她就「減太子宮膳」，就是讓太子減少飲食，加強運動，減輕體重，頗有成效。

四、會處後宮關係。皇后統攝六宮，後宮妃嬪眾多，其位次、年齡、性格、身世各異，張后在任皇后、太后、太皇太后期間，比較會處理後宮關係，後宮相對平靜，未見大的風波。

五、會處母子關係。兒子宣德帝初繼位，凡軍國大政，多稟聽裁決。時海內太平，皇帝侍奉起居，陪伴遊宴，四方貢獻，先奉太后。皇帝與太后，慈孝聞天下。太后遊西苑，皇后皇妃伴隨，皇帝親自扶輿登萬歲山，奉觴上壽，獻詩頌德。去永樂長陵和洪熙獻陵，經過河橋時，皇帝下馬扶輦。

六、會處祖孫關係。子宣德帝死，孫正統帝九歲繼位，宮中流言四起。太后急召諸大臣到乾清宮，指着太孫哭泣說：「此新天子也。」群臣呼萬歲，流言乃止。有大臣請太后垂簾聽政，太后說：「毋壞祖宗法。第悉罷一切不急務。」時時勖勉正統帝，勤奮學習，委任股肱。太皇太后在時，大太監王振不敢專權，違法胡為。

七、會處君臣關係。從英國公張輔，尚書蹇義，大學士楊士奇、楊榮、金幼孜、楊溥所請，見於行殿，太后慰問諸臣，並說：「爾等先朝舊人，勉輔嗣君。」正統七年（一四四二年）十月，病危，召大學士楊士奇等入，命太監問國家還有甚麼大事未辦，楊士奇列舉三件事：一是「建庶人雖亡，當修實錄」，即建文帝雖然死了，但應當纂修《建文實錄》；二是永樂帝曾詔諭「收方孝孺諸臣遺書者死，宜弛其禁」；其三還沒有來得及奏上，太后就咽氣死了。遺詔勸勉大臣，輔佐皇帝，惇行仁政，惠及百姓。（《明史·后妃傳》卷一百十三）她的善政，受到讚譽。

八、會處娘家關係。對娘家兄弟，按規矩辦事，「太后遇外家嚴」，不輕易升官賞賜，不許他們搞特權，也不許他們理國事。

九、會處百姓關係。到十三陵謁陵，「畿民夾道拜觀，陵旁老稚皆山呼拜迎」。太后回頭對皇帝說：「百姓戴君，以能安之耳，皇帝宜重念。」老百姓愛戴國君，因百姓能得到安居樂業，皇帝應當牢記。回程時路過農家，「召老婦問生業，賜鈔幣」。有獻蔬食酒漿者，取以賜帝，說：「此田家味也。」諭誡皇帝，不忘農家。

史書所說的「洪宣之治」，張太皇太后也有一份歷史功績。

二 成化母后

周太后是明憲宗成化帝的生母，明英宗正統帝的妃子。明英宗皇后錢氏，知書達理，聰明賢慧，特別是在英宗被俘和幽居期間，晝夜啼哭，極盡婦道。但是，皇后錢氏沒有生育，妃子周氏生子朱見深，立為皇太子，就是後來的成化帝。

周氏是北京昌平人。因生兒子，子為太子，母以子貴，被封貴妃。明英宗正統帝三十八歲死，朱見深十八歲繼承皇位。按照《大明會典》規定：「天子登極，奉母后或母妃為皇太后，則上尊號。」（《大明會典》卷五十）於是，成化帝即位，就尊母妃周氏為皇太后。《大明會典》還規定：「其後或以慶典推崇皇太后，則加稱二字或四字為徽號。」在成化二十三年（一四八七年）四月，為周太后上徽號「聖慈仁壽皇太后」。成化帝死後，她的孫子明孝宗弘治帝朱祐樘繼位，弘治帝尊他的祖母為太皇太后。

明朝十六位皇帝，文化素養，個人品德，差異很大，各不相同，甚至於有的皇帝做出許多荒唐之事。但是，明朝所有的皇帝，對待母親，對待祖

《仁壽皇太后像》（成化帝生母）

母，都極孝順，無一例外。《明史》記載：「憲宗在位，事太后至孝，五日一朝，燕享必親。太后意所欲，惟恐不歡。」（《明史．后妃傳》卷一百十三）這是可信的。

周太后為人厚道。及孝宗即位，事太后也至孝。太后（時為太皇太后）病瘍，久之愈，諭群臣說：「自英皇厭代，予正位長樂，憲宗皇帝以天下養，二十四年猶一日。茲予偶患瘍，皇帝夜籲天，為予請命，春郊罷宴，問視惟勤，俾（使）老年疾體，獲厎（「得」的意思，不是「底」）康寧。以昔視今，父子兩世，孝同一揆，予甚嘉焉。」（《明史．后妃傳》卷一百十三）

周太后也有故事。明英宗因錢皇后在自己患難之時真誠相待，答應她死後合葬。但是，明孝宗弘治帝遇到兩難：一方面親祖母周皇后不願意同錢皇后合葬，而周皇后對皇孫孝宗弘治帝有大恩。孝宗生於西宮，母妃紀氏薨，太后育之宮中，省視萬方。弘治十一年（一四九八年）冬，清寧宮火災，太皇太后移居仁壽宮。明年，清寧宮修繕完工，太皇太后仍回清寧宮。太皇太后的弟弟長寧伯周彧，家有賜田，官員請求加以核查，皇帝說算了。太皇太后說：「奈何以我故骫（「不正」的意思）皇帝法！」（怎麼能因為我而不遵守國法呢！）於是，使超出土地，歸於官府。弘治十七年（一五〇四年）三月，周太皇太后崩，合葬裕陵。嘉靖十五年（一五三六年），與紀、邵二太后並移祀陵殿。而後，穆宗母孝恪太后、神宗母孝定太后、光宗母孝靖太后、熹宗母孝和太后、思宗母孝純太后，都遵循了這項禮制。（《明史．后妃傳》卷一百十三）

三 萬曆母后

孝定李太后是明神宗萬曆帝的生身母親，漷縣（今北京通州）人。她侍穆宗隆慶帝於裕王府邸，生明萬曆帝朱翊鈞。隆慶元年（一五六七年）三月，封李氏為貴妃。萬曆帝繼位，尊生母李氏為慈聖皇太后。舊制：皇帝登極，尊皇后為皇太后，若有生母稱太后者，則加徽號，以示區別。這時，太監馮保想諂媚李貴妃，提出「兩宮太后，同時並尊」。於是，由大學士張居正下廷臣商議，尊皇后陳氏為「仁聖皇太后」，尊貴妃李氏為「慈聖皇太后」。從此開始，兩宮地位，平起平

慈寧宮（林京　攝）

坐，沒有區別。仁聖皇太后居慈慶宮，慈聖皇太后居慈寧宮。張居正請李太后照顧十歲的萬曆帝的起居，遷居乾清宮。

李太后教幼年萬曆帝讀書，重管教，嚴督促。

先講李太后教子讀書的故事。早上小皇帝貪睡，李太后就到萬曆帝寢榻前，呼曰：「帝起！」叫醒熟睡的萬曆小皇帝。又命太監左右扶掖皇帝，取水洗臉，穿戴衣冠，出門登輦，前去上朝。萬曆帝如懶惰不讀書，就要召到太后面前，加以訓斥，長跪懲罰。每次經筵後，回到乾清宮，常令萬曆帝仿效講官，在皇太后面前復講。

再講李太后教子為君的故事。萬曆帝有時在小宴會上，

《慈聖皇太后像》（萬曆帝生母）

喝酒助興，令太監唱歌。太監說不會，命取下寶劍擊之。左右人勸解，就戲割其髮。翌日，李太后聞知，傳語張居正，嚴詞具疏，進行切諫；還令張居正「為帝草罪己御劄」，代皇帝起草「檢討書」；並召萬曆帝面前長跪，嚴詞訓示，數其過錯。萬曆帝痛哭流涕，進行自責，請求改過。萬曆六年（一五七八年），萬曆帝大婚，太后將回慈寧宮居住，敕張居正說：「吾不能視皇帝朝夕，先生親受先帝付託，其朝夕納誨，終先帝憑几之誼。」

后性嚴明。萬曆初政，委任張居正，綜核名實，幾於富強，皇太后之力，貢獻很多。萬曆後期，皇子朱常洛未冊立，給事中姜應麟等疏請立儲，遭到貶謫。皇太后知道後，趁皇帝入侍，太后問為甚麼。萬曆帝說：「彼都人子也。」因為他是都人之子！太后大怒道：「爾亦都人子！」萬曆帝惶恐，跪地不敢起。這是為甚麼呢？當時內廷呼宮女為「都人」，太后也是由宮人被幸，才生下萬曆皇帝朱翊鈞的。

朝臣請福王離開皇宮，到藩王府去，行期已定，拖了又拖。鄭貴妃說推遲到明年，慶祝太后生日後再去。太后說：我的孫子潞王不是也可以來京上壽啊！鄭貴妃沒法，不敢留福王，命福王赴藩。

太后父親李偉，封武清伯。太后娘家人犯法，命太監到武清伯府，數其過錯，依法辦事。

李太后好佛，京師內外多興建佛寺，這裏特別介紹慈壽寺塔。慈壽寺塔位於今北京海澱區八里莊，原名永安萬壽寺，塔名萬壽寺塔，今稱慈壽寺塔。寺是明萬曆帝母親李太后懿旨，於萬曆四年（一五七六年）始建，兩年後告成。寺院內，萬壽寺塔為八角十三層密簷式磚塔，高五十六點五米，高塔聳立，剛健挺拔，風鈴鳴動，氣勢非凡。後寺因火廢棄，慈壽寺塔孤存。

寺的興建，有個故事。萬曆帝父親隆慶帝死得早，皇后沒有兒子，由李貴妃所生十歲的朱翊鈞繼位，這就是萬曆帝。萬曆帝登極後，冊母親為慈聖太后，但她是宮女出身，地位卑微。一次宮裏吃飯，仁聖太后和萬曆帝坐着，慈聖太后卻站着，不能入正席。李太后處境艱難，內廷有仁聖皇太后，外朝有大學士張居正，萬曆帝才十歲，她如何提高自己的政治地位和崇高權威呢？這個女人太有心計了！

一天，她公開說，夜裏做了一個夢，夢見九蓮菩薩，託言自己是九蓮菩薩化身。史載：「九蓮菩薩者，神宗母，孝定李太后也。太后好佛，宮中像作九蓮座。」（《明史．諸王傳》卷一百二十）於是，在宮裏供奉九蓮菩薩，又傳旨捐資在北京阜成門外八里莊修建永安萬壽寺，供奉九蓮菩薩。寺中還修建一座高塔，名「永安萬壽塔」，又叫「慈壽寺塔」。

此後，仁聖皇太后、張居正以及宮內外所有的人，都高看李太后，再沒有人敢欺負這位現世的「九蓮菩薩」。塔後東西分列畫像石刻碑：東首一塊正面刻紫竹觀音和贊詞，背面刻瑞蓮賦；西首一塊正面刻魚籃觀音和贊詞。二碑刻工精美，線條疏朗流暢。九蓮菩薩的影響，一直到崇禎末。慈壽寺是李太后韜略與睿智的展現。

萬曆四十二年（一六一四年）二月，李太后崩，合葬昭陵。

一身為皇后、皇太后、太皇太后，這在明清五百多年的歷史上，僅有兩位，即明仁宗洪熙帝張皇后和明憲宗成化帝王皇后。她們既外在機遇好，也內在修養好。她們自身的共同特點是：積德行善，心淨身靜，胸懷寬廣，品節高潔。因此，她們成為古代女性的典範。

大故宮·九五之尊

目錄

大故宮・奉天承運

目錄

大故宮

有鳳來儀

責任編輯　許穎
設計　黃希欣
排版　漢圖
印務　劉漢舉

出版
中華書局（香港）有限公司
香港北角英皇道四九九號北角工業大廈一樓 B
電話：（852）2137 2338
傳真：（852）2713 8202
電子郵件：info@chunghwabook.com.hk
網址：http://www.chunghwabook.com.hk

發行
香港聯合書刊物流有限公司
香港新界荃灣德士古道 220-248 號
荃灣工業中心 16 樓
電話：（852）2150 2100
傳真：（852）2407 3062
電子郵件：info@suplogistics.com.hk

印刷
美雅印刷製本有限公司
香港觀塘榮業街六號海濱工業大廈四樓 A 室

版次
2022 年 6 月初版

規格
16 開（240mm×170mm）

ISBN
978-988-8807-59-8